será. A se não foi? mas eu estou a
que é. Pois

Via-se perfeitamente que estava
pelo piscar constante dos olhos grandes
peito magro que se levantava e
na sua respiração cadenciada e cal
quem sabe, ela estaria precisando morr
~~momento~~ momentos a pessoa
precisando de uma ~~morrida~~ sem
ao menos saber e ~~quando ~~ subst
to da morte / por um seu simbolo -
este que pode se resumir numa prop
nos na ~~toa~~ parede aspera e sim se
boca a boca na agonia do prazer
~~simbolicamente~~ ~~eu~~ morro varias vezes para exp
ou se rercão

dos com alegria

a hora da estrela de
menos ainda não ouviço adiantar se l
o homem louro estrangeiro. Rezen p
que todos interrompem o que estai
para soprar-lhe ~~vida~~ pois ela
por enquanto solta no acaso com
porta balançando ao vento. Não
eu poderia resolver pelo ~~caminho~~
facil que seria matar ~~atroce~~
menina — importa mas quero o

O HUMANISMO EM CLARICE LISPECTOR
UM ESTUDO DO *SER SOCIAL* EM
a hora da estrela

ANA APARECIDA ARGUELHO DE SOUZA

Raquel Matsushita e Marina Mattos | CAPA E PROJETO GRÁFICO

Juliana Freitas | DIAGRAMAÇÃO

Sandra Brazil | PREPARAÇÃO E REVISÃO

David Buffington | FOTO ORIGINAL DE CAPA

Dados Internacionais de Catalogação na Publicação (CIP)
(Câmara Brasileira do Livro, SP, Brasil)

Souza, Ana Aparecida Arguelho de
O humanismo em Clarice Lispector: um estudo do ser social em *A hora da estrela*/
Ana Aparecida Arguelho de Souza. – São Paulo: Musa Editora;
Dourados, MS: UEMS – Universidade Estadual de Mato Grosso do Sul, 2006.
– (Musa cultura, educação, letras e lingüística)

Bibliografia.
ISBN 85-85653-86-8 (Musa Editora)
ISBN 85-99880-03-9 (Editora UEMS)
ISBN 978-85-99880-03-6 (Editora UEMS)

1. Humanismo na literatura 2. Lispector, Clarice, 1925-1977.
A hora da estrela – História e crítica I. Título. II. Série.

06-5238   CDD-869.9309

Índices para catálogo sistemático
1. Ficção: Literatura brasileira: História e crítica   869.9309

Todos os direitos reservados.
Impresso no Brasil, 2006.

Musa Editora Ltda.
Rua Cardoso de Almeida 985
05013-001 São Paulo SP
Tel/fax (5511) 3862 2586 / 3871 5580
musaeditora@uol.com.br
musacomercial@uol.com.br
www.musaambulante.com.br
www.musaeditora.com.br

Editora UEMS – Universidade Estadual do Mato Grosso do Sul
Rodovia Dourados – Itahum, km 12, Bloco B
Cidade Universitária – Caixa Postal 351
Dourados, MS – 79804-970 Tel.: (67) 3411-9103
editorauems@uems.br
livrariauems@uems.br
www.uems.br/proec/editora

UNIVERSIDADE ESTADUAL DO MATO GROSSO DO SUL

Luiz Antônio Álvares Gonçalves | REITOR
Eleuza Ferreira Duarte | VICE-REITORA
Maria José Telles Franco Marques | PRÓ-REITORA DE EXTENSÃO, CULTURA E ASSUNTOS COMUNITÁRIOS

Conselho Editorial
Agnaldo dos Santos Holanda Lopes; André Rozemberg Peixoto Simões;
Elaine Aparecida Mye Takamatu Watanabe; Elza Sabino da Silva Bueno;
José Roberto Lunas; Maria José Telles Franco Marques; Sérgio Choiti Yamazaki;
Silvana Aparecida Lucato Moretti; Susylene Dias de Araújo; Vera Lucia Lescano de Almeida

Editora UEMS
Elisângela Duarte do Prado e Agnaldo dos Santos Holanda Lopes | EDITORES

Eu tive desde a infância várias vocações
que me chamavam ardentemente. Uma das
vocações era escrever. E não sei por que,
foi esta a que eu segui. Talvez porque
para as outras vocações eu precisaria de
um longo aprendizado, enquanto que para
escrever o aprendizado é a própria vida se
vivendo em nós e ao redor de nós.

Clarice Lispector

AGRADECIMENTOS

A primeira versão desta obra foi escrita em forma de tese, desenvolvida no Programa de Pós-Graduação da Faculdade de Ciências e Letras da Universidade Estadual Paulista Júlio de Mesquita Filho, *campus* de Assis, para obtenção do título de doutor em Teoria Literária e Literatura Comparada. Defendida em abril de 2003, foi adaptada para fins desta publicação.

Muitas pessoas contribuíram para os resultados e, a todas, expresso minha gratidão.

Em especial, agradeço à professora Letizia Zini Antunes, que orientou o trabalho, pela colaboração inestimável, pelas leituras e sugestões. Aos demais professores componentes da banca de defesa – Dr. Luiz Roberto Velloso Cairo e Dr. Álvaro Santos Simões Junior, da Unesp/Assis, Dr. José Eduardo Ramos Borges, da Universidade Federal de Mato Grosso do Sul – *campus* Três Lagoas – e Dra. Neiva Pitta Kadota, da Fundação Álvares Penteado – São Paulo –, agradeço a leitura atenta e respeitosa e, especialmente, pela elegância da crítica e riqueza das sugestões. Agradeço, ainda, de modo especial e carinhosamente a professora Neiva Pitta Kadota, que honrou esta obra com o seu prefácio.

Mais proximamente, minha gratidão à professora Terezinha Pereira Braz, que muito auxiliou no levantamento das fontes. À professora Maria das Graças Ferreira Fialho, pela revisão do texto. À Rosilange de Almeida, pela formatação final do trabalho. Ao padre Giullio Boffi, da UCDB (Universidade Católica Dom Bosco), e ao diretor da Faculdade Estácio de Sá de Campo Grande, Julio Cezar da Gama Fernandes, pela dispensa de horas de trabalho para a elaboração da tese, e à própria UCDB, pela concessão de bolsa para a realização de parte da pesquisa.

Agradeço, finalmente, de modo muito especial, ao meu querido filho Gilberto Stefan, que, ao longo desta caminhada, foi o meu apoio e o meu estímulo para continuar.

SUMÁRIO

11 *Prefácio*
por Neiva Pitta Kadota

15 *Apresentação*

PARTE I
REGISTRO DOS FATOS ANTECEDENTES

23 CAPÍTULO 1: No princípio era Clarice
27 CAPÍTULO 2: O direito ao grito
35 CAPÍTULO 3: O avesso do país que "vai prá frente"

PARTE II
HISTÓRIA LACRIMOGÊNICA DE CORDEL?

47 CAPÍTULO 4: As entradas do texto
53 CAPÍTULO 5: A linguagem
59 CAPÍTULO 6: Os fios da narrativa
59   Gênero
70   Desconstrução narrativa
78   O tempo e a hora da estrela
85   Espaço: o desagregado urbano em que
            habita Macabéa
93 CAPÍTULO 7: Vozes veladas ou ela não sabe gritar
100   Rodrigo: personagem-autor-narrador
104   Macabéa
121 CAPÍTULO 8: Nasce uma estrela no coração do homem
121   Predição e destino
129   O momento epifânico
136   Por quem os sinos dobram

141 Alterando os horizontes

143 *Referências bibliográficas*

PREFÁCIO
A HORA E A VEZ DE MACABÉA

> Do caos nascem as estrelas.
>
> Clarice Lispector

Para Jorge Luís Borges, o prólogo é "uma espécie lateral de crítica", do que é difícil discordar. É possível vê-la também como uma escrita paralela, buscando orientar os novos leitores a partir de um olhar de quem primeiro folheou lenta e analiticamente as páginas. Um olhar crítico, mas comprometido, às vezes, pelo envolvimento muito próximo com a obra, e emocional com o autor. Poderia aqui ocorrer essa contaminação não só pela minha preferência estética pela escritura de Clarice Lispector, mas também pela sutil e delicada forma de solicitação de Ana Arguelho para a redação deste prefácio. Contudo, penso que prevaleceram a razão e a criticidade e não a simples emoção corpórea.

A leitura desta obra revelou-se como complementação de minhas análises de Clarice, que não contemplaram *A hora da estrela*, em cuja narrativa a afásica personagem Macabéa atravessa o texto clariceano com dificuldade dialógica sob o olhar cúmplice do autor e do leitor. Como distanciar-se dessa armadilha textual para uma análise da estrutura e da trama denunciatória, que perpassam o último trabalho de Clarice, sem se deixar envolver emocionalmente por ele e especialmente por sua personagem? Como não se enovelar na instância do enredo, da questão social pura e simples, se o texto de Clarice é mais, muito mais? A autora, porém, escolheu um outro percurso: o do estético-ideológico, no qual, em paralelo, observa a dupla estrutura da obra, a enunciação e o enunciado.

Se Clarice aspirava a um "leitor especial", aqui se deu o encontro. A leitura de Ana Arguelho revela sensibilidade ao perceber a sutileza e a importância dos fragmentos textuais, o interligar de elementos mínimos de significação que surgem como aparentes nervuras desconexas e, assim, constroem a escritura clariceana, enquanto comprovam a afirmação de Clarice: "Quando escrevo, eu misturo uma tinta com outra e nasce uma nova cor". É essa nova cor das palavras, e que dá a elas um outro sentido, que Ana percebeu e fez vir à tona na análise de *A hora da estrela*. E a estrela é Macabéa, personagem que já assegurou o seu espaço na narrativa brasileira, talvez como o oposto da personagem mais conhecida de nossa literatura, que é Capitu, de Machado de Assis, figurando exatamente como seu avesso: uma, a de Machado, com os olhos oblíquos de cigana dissimulada; a outra, de Clarice, com seu corpo cariado, sua mudez e sua falta.

O trabalho de Ana pode ser comparado a um "documentário urbano", no qual Macabéa é flagrada em "uma cidade toda feita contra ela". No Rio de Janeiro, Macabéa resgata a imagem especular da figura quase lendária de Kaspar Hauser, em Nuremberg: ambos atônitos diante de um mundo composto pelo rumor de signos inapreensíveis, porque desconhecidos por eles. Vinham ambos de um universo de grunhidos, e Macabéa assume mesmo a condição de "um parafuso descartável" em uma "sociedade técnica", como ressalta Ana, parafraseando Clarice em sua leitura. É uma personagem que se fixa em nossa memória porque é um paradigma de uma camada social que está muito presente em nosso cotidiano, que continuamente passa por nós, que está nas aglomerações populares, nos agitados centros das grandes metrópoles; que nos olha com cara de espanto, ou como afirma Clarice "com rosto que pedia tapa". São personagens de uma cena urbana cuja "história é quase nada". Figuras que transitam por entre a multidão como sombras espectrais. E nada significam para nós, como nada representavam para um país, na década de 1970, que então começava a exigir mão-de-obra qualificada. Nada valiam naquele mundo veloz e complexo com que a tecnologia já acenava.

A hora da estrela é vista como uma obra diferente de Clarice, por ser aparentemente constituída de fatos. Esses fatos, porém, são sonoros, ou como ela mesma diz "entre os fatos há um sussurro. É o sussurro o que me impressiona".

São esses sussurros os produtores de sentido que tecem o narrar e caracterizam-se no grito de denúncia que permeia toda a sua obra.

Os fatos "ralos" da narrativa e o papel do narrador Rodrigo/Clarice são bem pontuados no trabalho de Ana, assim como o estudo das características de cada personagem, o que nos possibilita ver/sentir com luminosa nitidez a trama miúda na qual os sussurros têm mais importância do que os acontecimentos, e isso nos coloca diante da certeza de que Clarice não criou casualmente a história de Macabéa, no exato momento em que a repressão era acirrada no país. E lembrando a teoria de Roland Barthes de que "nenhuma mensagem é ingênua", podemos concluir que a última obra de Clarice foi também a sua última e talvez mais forte denúncia contra a mudez de alguns e a alienação de muitos, reinante no país à época, conforme desejo e modelo imposto pelo autoritarismo vigente.

Bom e necessário é o trabalho de Ana Arguelho, especialmente àqueles que ainda vêem em Clarice Lispector uma escritora voltada para a subjetividade e distanciada das questões sociais. Aqui, a escrita de Ana mostra-se reveladora e tão afiada quanto a navalha do cineasta Luís Buñuel, cortando a retina do olho da personagem em *Um cão andaluz*, buscando com esse gesto não o ofuscamento, mas a operação inversa, a ampliação do campo visual do receptor.

Neiva Pitta Kadota
São Paulo, julho de 2003

APRESENTAÇÃO

> Quanto maior o artista,
> tanto maior o transtorno.
>
> Eric Bentley

Esta obra trata das confluências entre o projeto estético de *A hora da estrela*, de Clarice Lispector, e a ideologia nele subjacente, que pode ser apreendida por meio dos recursos utilizados na escritura da obra, com os quais a autora põe em pauta a natureza social do Homem. Esse chamar a atenção do leitor para o ser humano é algo presente em toda a obra de Clarice, mas, especialmente em *A hora da estrela,* a proposta atinge um grau de sofisticação máxima, quando articula o homem à "sociedade tecnológica", talvez por esta ser a última obra de uma grande série de outras dessa natureza, talvez pelo momento histórico em que Clarice a escreveu.

A centralidade do projeto escritural de *A hora da estrela* é o Homem. A marca do humano reside na capacidade de linguagem e consciência do homem. "A linguagem é a consciência real, prática, que nasce, como a consciência, da carência, da necessidade de intercâmbio com outros homens."[1] A linguagem de Clarice Lispector, pela voz do narrador Rodrigo, revela sua consciência de escritora sobre o mundo, sobre o homem, sobre a própria linguagem. Macabéa, personagem central da narrativa, entre tantas outras carências, não desenvolve a capacidade de linguagem e, por extensão, sua consciência não se amplia além dos tênues limites de sua vidinha de moça pobre e ignorante. Um ser no mundo, em meio a relações hostis, essa carência advém de sua profunda solidão, da ausência de intercâmbio com os outros seres no mundo. Seu viver é ralo, diz a autora. "Habitante de uma cidade que parece feita toda contra ela [...] somente vive, inspirando e expirando, inspirando e expirando."[2] Apreender nas relações sociais em que se move Macabéa o processo de desconstrução humana e, depois, a construção de sua consciência, essência do projeto ideológi-

---

1. K. Marx; F. Engels, *A ideologia alemã.* Trad. José Carlos Bruni e Marco Aurélio Nogueira. 6. ed. São Paulo, Hucitec, 1987, p. 43.

2. C. Lispector, *A hora da estrela.* 23. ed. Rio de Janeiro, Francisco Alves, 1995, p. 38.

co, implica desvendar, passo a passo, o projeto estético construído por Clarice.

Pode-se dar conta do homem pela linguagem que ele produz, quer seja filosófica ou estética, até porque toda filosofia sobre o homem vem carregada de paixão, como as várias formas de linguagem estéticas contêm ensinamentos sobre o homem, mesmo quando não quer contê-los. Quem melhor do que o próprio homem para falar do Homem? Na ânsia de recriá-lo, transfigurá-lo, ampliar-lhe as dimensões, uns recorrem à literatura, à música, à filosofia, outros, à crítica literária. A linguagem, seja qual for, é interpretação e recriação, mas ainda é o ser humano, sua experiência existencial que está lá, no recôndito de todos os projetos.

O Homem, entretanto, com quem, afinal, tenta-se sempre o grande encontro, seja pela ficção, seja pela filosofia, é de natureza social, realiza-se na interação com outros homens e, no interior do movimento social, realiza a história; as linguagens, tanto aquelas tecidas pelos diferentes olhares da crítica, quanto aquela que deu à história dos homens, por meio da ficção, uma nova tessitura, singular, única e de qualidade diferente, ainda trazem em si as pegadas humanas, quer pela memória do mundo perceptível pelo olhar do crítico, quer pelo imaginário único de seu criador, contaminado, este também, pelas grandezas e misérias do mundo. Terry Eagleton afirma que a crítica moderna nasceu de uma luta contra o Estado absolutista e terminou com um punhado de indivíduos criticando mutuamente seus próprios livros.[3] Com efeito, se o homem e o mundo em que vive não espreitam a análise de qualquer obra, essa análise, então, é exercício inútil. Por isso, outros olhares que antecederam a este foram contributivos, quando, na estética de Clarice Lispector, apontaram questões relevantes a esta investigação. Com certeza, como afirma Neiva Pita Kadota, o social existe no conjunto da obra dessa autora, "como coágulos submersos de inquietações sociais que vislumbramos percorrer intercelularmente o seu fazer ficcional".[4]

No debruçar sobre *A hora da estrela*, buscou-se captar o mundo de Macabéa, sua ação sobre ele, ou sua inércia e sub-

3. T. Eagleton, *A função da crítica.* Trad. Jefferson Luiz Camargo. São Paulo, Martins Fontes, 1991, p. 99.

4. N. P. Kadota, *A tessitura dissimulada:* o social em Clarice Lispector. São Paulo, Estação Liberdade, 1997, p. 21.

sunção; e a ação do mundo sobre ela, seu destino, sua fatalidade. Nessa tensão dialética entre o ser e o mundo ficcional, trazida pelo projeto estético da obra, detectou-se, afinal, a inquietação social que ecoa pela obra como "um grito de dor" ou o "lamento de um *blue*". Essa inquietação subliminar converte-se, numa autora como Clarice Lispector, em desvios estéticos de alta densidade: a articulação da perspectiva linear com a perspectiva do fragmento narrativo; o fingimento, à moda de Fernando Pessoa, para forjar as dificuldades de lidar com essa última perspectiva que Clarice demonstra tão bem conhecer; o irônico e o patético com que a autora constrói as personagens; a alegoria, que confere a Macabéa o estatuto de personagem paradigmática da sociedade tecnológica; a epifania, que ilumina o momento da concepção de sua consciência; a morte convertida em símbolo inaugural de um novo tempo; a multiplicidade dos títulos, que desde o início já anuncia as leituras possíveis; a tensão dos fragmentos, que imprime movimento à narrativa; a substituição da objetividade temporal pela técnica dos fluxos da consciência; a poetização da linguagem; a semiose do silêncio que fala, da parca palavra de Macabéa, dos paradoxos e das antíteses que sugerem as contradições humanas; a des-identidade das personagens. Por essa via estética, mesmo sem nenhuma intenção confessa, a autora acaba por atingir profundamente a consciência do leitor, como se esse fosse o propósito.

Para adentrar o projeto estético de *A hora da estrela* buscou-se conhecer, em Georg Lukács e Ference Fehér, os procedimentos do romance, gênero do qual a obra parece aproximar-se para com ele dialogar. Terry Eagleton, Mikhail Bakhtin e Antonio Gramsci referendaram a sistematização das questões ideológicas. O primeiro, pelo trato da questão ideológica, na perspectiva histórica, o segundo, pela natureza ideológica da linguagem, e o terceiro, pela concepção de homem em uma perspectiva contra-ideológica à visão fornecida por John Locke sobre o homem da modernidade, com quem se fez o contraponto. Essas são as teorias que constituem a base em que se assenta este estudo, embora vários outros autores tenham sido examinados desde o primeiro momento da pesquisa, muito contribuindo para a formulação de algumas questões importantes.

Um deles é o crítico literário Antonio Candido, que ajudou na definição da metodologia de análise do texto literário, no que concerne à apreensão de uma visão de mundo inferida de um projeto estético. Este autor estabelece diferenças de tratamento do social na obra literária. Considera-o fator externo quando apenas possibilita a realização do valor estético; e fator interno, quando desempenha papel de agente na constituição da estrutura narrativa, quer dizer, quando a visão de mundo do autor sobre a sociedade é elemento de base para a organização das estruturas formais da obra:

> A análise crítica, de fato, pretende ir mais fundo, sendo basicamente a procura dos elementos responsáveis pelo aspecto e o significado da obra, unificados para formar um todo indissolúvel, do qual se pode dizer [...] que tudo é tecido num conjunto, cada coisa vive e atua sobre a outra.[5]

A lição do mestre é adequada ao tratamento de uma obra como *A hora da estrela*. Nela, o social é um elemento que compõe com o literário um todo indissolúvel e desempenha papel de agente na constituição da estrutura narrativa. Porém, diferentemente de toda literatura que faz mimésis do real, nesta, o processo é inverso: quanto mais, por meio da linguagem, desfigura-se um mundo, mais fascinante surge outro. É, pois, na desfiguração do real, operada pelo projeto estético, que, em *A hora da estrela*, apreendeu-se o ser social entrevisto no texto.

Um fecundo legado para a compreensão do conjunto da obra e do estilo marcante da autora veio de Benedito Nunes, Berta Waldman, Nádia Battella Gotlib e Olga de Sá. Entre todos, porém, a grande referência é Neiva Pitta Kadota, pela abordagem do social que faz do conjunto da obra, com exceção de *A hora da estrela*, com o que se diferencia dos demais.

5. A. Candido, *Literatura e sociedade*. São Paulo, Nacional, 1985, p. 5.

É importante, ainda, nesta apresentação, à guisa de esclarecimento ao leitor, firmar uma posição acerca do enfoque dado às estruturas formais do texto. A incidência da análise na estrutura de textos como princípio de cientificidade encontra suas origens no Formalismo Russo, teoria desenvolvida no interior das atividades do grupo OPAIAZ (Associação para o Estudo da Linguagem Poética), fundado em 1917, como desdobramento do Círculo Lingüístico de Moscou. Pela natureza mesma da proposta de enfatizar a linguagem poética em detrimento da linguagem referencial e de precisar a forma como essência poética, essa corrente merece uma crítica ácida do marxista Leon Trotsky,[6] que vê esses procedimentos como necessários e úteis, porém parciais, fragmentários, subsidiários e preparatórios de uma análise ulterior. Mantidos dentro desses limites legítimos, esses procedimentos contribuiriam para a melhor compreensão das peculiaridades próprias da forma: economia, movimento, contraste etc. Porém, como meio caminho, momento primeiro da análise e não síntese reveladora. É nesse sentido, de meio caminho, momento de análise, que os aspectos internos da obra serão aqui abordados. A síntese revela-se no momento em que, por meio de Macabéa, Clarice constrói simbolicamente o humano.

Em síntese, com base nesses postulados, desenvolveu-se a análise dos elementos internos de *A hora da estrela*, com o fim de desvelar o mundo da obra, no interior e a partir do qual o projeto ideológico se realiza. Essa última grande produção de Clarice Lispector bem se presta a tal propósito, pois dela se pode dizer que o tecido das relações sociais desempenha papel vital em seu projeto estético, revelando acentuada vocação social, que foi perseguida a cada passo.

6. L. Trotsky, A escola poética formalista e o marxismo. In B. Eikhenbaum, *Teoria da literatura* – formalistas russos. Trad. Ana Maria Ribeiro et al. Porto Alegre, Globo, 1971, p. 72.

PARTE I

Registro dos fatos antecedentes

CAPÍTULO 1
NO PRINCÍPIO ERA CLARICE

> Você há de me perguntar porque tomo
> conta do mundo. É que nasci incumbida.
>
> Clarice Lispector

As pesquisas sobre Clarice Lispector contêm elementos expressivos de uma possível identidade entre a autora e suas personagens. Alguns elementos colhidos sobre sua vida e discurso, como também o registro pontual da crítica, dão a conhecer a autora em aspectos que justificam um estudo acerca do projeto ideológico que perpassa sua obra e que a move em torno de uma busca incessante do homem, da sua natureza social e condição existencial.

Nádia Battella Gotlib, na obra *Clarice*: uma vida que se conta, registra um depoimento da autora que revela consciência desse fazer voltado para o homem: "Os meus livros não se preocupam muito com os fatos em si, porque, para mim, o importante não são os fatos em si, mas as repercussões dos fatos no indivíduo".[7]

Essa afirmativa sugere que o foco no indivíduo, a ótica existencialista que caracteriza a obra de Clarice, pode ser uma artimanha para fazer o Homem emergir naquilo que o circunstancial nele repercute e altera sua existência. E quando traz o outro, pode ser que a si mesma que venha trazendo. Afinal, Macabéa não migra do Nordeste para o Rio de Janeiro como a própria Clarice? E sua pobreza não ilustra, de certa forma, a da autora? Atente-se para este depoimento da autora sobre sua infância: "Porque tinha em Recife, numa praça, um homem que vendia uma laranjada na qual a laranja tinha passado longe, tudo aguado, e um pedaço de pão e era o nosso almoço".[8]

Ainda em Gotlib, o registro de um depoimento no qual Clarice afirma ter estudado Direito para reformar o mundo e, embora não se considerasse uma escritora participante e engajada em movimentos de qualquer espécie, tinha cons-

7. N. B. Gotlib, *Clarice*: uma vida que se conta. 3. ed. São Paulo, Ática, 1995, p. 437.

8. Ibidem, p. 69.

ciência crítica suficiente para apontar abusos e explorações especialmente no que diz respeito à classe dos autores explorados em seus direitos autorais. Gotlib chama a atenção para a contradição no argumento de Clarice que afirma o não, argumentando com o sim. Ora, diz, se há intenção de reformar o mundo, há prática participante.[9] Naturalmente que Clarice é engajada. Vários outros depoimentos o atestam.

Vieira[10] informa que o pai de Clarice lia diariamente a Bíblia e deduz que poderia ser bem provável ela ter aprendido com ele muito da cultura judaica. O crítico capta no intertexto bíblico com Macabeus e no viés místico e espiritual que, de quando em quando, atravessa *A hora da estrela*, certa afinidade de Clarice com a cultura e o pensamento hebraico. A autora, por sua própria decisão, declara-se brasileira, embora fosse judia, tendo chegado ao Brasil com alguns meses de nascida. Para Vieira, *A hora da estrela* parece ser um tipo de resposta ou testamento ao seu implícito judaísmo, mas, também, é um "testamento ao seu olhar oblíquo, mas comprometido com a vida social brasileira e à sua nítida percepção desta cultura que ela tanto amava".[11]

Além de Macabéa, outra personagem em *A hora da estrela* forma com Clarice um dueto bem afinado, no sentido de que traz para a obra a problemática do escritor diante do mundo e das dificuldades que advêm do próprio ato escritural. Essa personagem é Rodrigo, narrador da obra, em quem o mesmo Vieira entrevê o escritor burguês,

> [...] que procura entender a inócua figura de Macabéa e para isso se lança, em verdadeiro estilo talmúdico, num discurso analítico de auto-questionamento sobre temas como identidade, resistência passiva, auto-realização, conflito, repressão e, por cima de tudo destino, assim evocando a importância de reconhecer dentro do homem e da sociedade o poder vibrante de mitos tradicionais perante a complexidade esmagadora do mundo contemporâneo.[12]

Entre os estudos organizados por Regina Zilberman em *A narração do indizível*, há mais um texto de Nelson Vieira,

9. Gotlib, 1995, p. 436.

10. N. Vieira, A expressão judaica na obra de Clarice Lispector. *Remate de Males*, n. 9, 1989, p. 208.

11. Ibidem, p. 209.

12. Ibidem, p. 208.

no qual ele relata vários depoimentos de pessoas que conheciam Clarice e atestaram ser ela uma pessoa engajada, preocupada com justiça social e consciente dos preconceitos que sofria como escritora, mulher e de origem judaica: "O pintor Carlos Sciliar, artista plástico, recorda Lispector nos anos 60 – socialmente engajada, com uma solidariedade guardiã".[13]

Em depoimento transcrito por Berta Waldman em *Clarice Lispector*: a paixão segundo C. L.,[14] Clarice declara as três coisas para as quais nasceu: para amar os outros, para escrever e para amar seus filhos. Amar os outros, diz, é a única salvação individual que conhece: "Escrevo porque o que é que eu faria dessa onda de amor que existe em mim? Escrevo por amor? Escrevo... e o que mais poderia fazer, se não escrevesse?".[15]

As indagações de Clarice são reveladoras de que escrever é a sua forma de amar e de fazer algo pelas pessoas. *A hora da estrela*, sua última obra, publicada dois meses antes de sua morte, atesta que esse amor declarado pelos outros amadurece, evoluindo para uma clara tomada de consciência social, compreensível, pelo momento que atravessava o País sob o jugo dos militares e que, certamente, influenciou sua obra, como toda a literatura brasileira produzida no período. Waldman transcreve um depoimento de Clarice afirmando que o fato social teve nela importância maior do que qualquer outro; e que, em Recife, os mocambos foram a sua primeira verdade. "Muito antes de sentir arte, senti a beleza profunda da luta."[16]

Esses poucos depoimentos da autora e a análise de Vieira são suficientemente demonstrativos de que a vida de Clarice ecoa em sua última obra. Que Rodrigo a traduz nas suas angústias de escritora, não há a menor dúvida. E que Macabéa, de algum modo, exorciza os fantasmas de Clarice também é fato. Todavia, essas questões serão discutidas no corpo do texto. Por ora, é importante afirmar a constatação de que a crítica costuma sobrelevar os aspectos metafóricos e metafísicos do universo clariceano, em detrimento dos seus aspectos sociais. Este rápido apanhado sobre pas-

13. Idem, Uma mulher de espírito. In R. Zilberman et al. (orgs.), *Clarice Lispector*: a narração do indizível. Porto Alegre, Artes e Ofícios/EDIPUC, 1998, p. 31.

14. B. Waldman, *Clarice Lispector*: a paixão segundo C. L. 2. ed. São Paulo, Escuta, 1992, p. 28-36.

15. Ibidem, p. 21.

16. Ibidem, p. 67.

sagens da vida de Clarice, que antecede ao estudo da obra, no entanto, demonstra que havia uma preocupação, latente na autora, com o homem e sua condição social. O veio humanista-social do universo clariceano, tão pouco explorado pela crítica, encontra significativa ressonância em *A hora da estrela*.

CAPÍTULO 2
O DIREITO AO GRITO
Ideologia e estética

> ... eu também faço livros comprometidos com o homem e a sua realidade, porque a realidade não é um fenômeno puramente externo.
>
> Clarice Lispector

Escrever sobre *A hora da estrela* é mergulhar num mar revolto, sem barco e sem remo. A teoria sucumbe, categorias, classificações e conceitos são tragados pela voragem da palavra inesperada e fascinante de Clarice, canto de sereia que leva a termo o náufrago, exausto, mas fortalecido pelo embate com a palavra. O enredo é simples: uma nordestina pobre, Macabéa, vive numa cidade grande, trabalha como datilógrafa e sonha ser estrela de cinema. Teve um namoro com Olímpico de Jesus, abortado logo de início pela traição de Glória, colega de trabalho e, finalmente, depois de ter seu destino vaticinado como glorioso e cheio de sucesso por uma cartomante, morre atropelada. Com esses reduzidos elementos, Clarice leva a cabo uma comovente obra sobre o Homem em sua condição de ser social, de vivente de uma sociedade que o alija da sua condição humana. É muito claro que, ao explicitar contradições sociais, o projeto escritural contraria a ideologia vigente que supõe possibilidades de humanização do homem na "sociedade tecnológica". O termo é utilizado por Clarice para falar da relação de Macabéa, sua personagem de proa, com o mundo em que habita.

A existência de um projeto contra-ideológico veiculado em *A hora da estrela*, no entanto, não diz respeito a uma questão teleológica no sentido de uma consciência e um direcionamento de objetivos construtivos de uma literatura de protesto ou de denúncia, adstrito a determinado momento político. É a seleção dos recursos estéticos utilizados na engenharia do texto que permitem inferir uma ideologia que, caminhando na contramão do ideário burguês, abre as fissuras necessárias à percepção das contradições sociais mais abrangentes, que reduzem o homem à própria negação do humano. É no incondicionado e no gratuito da estilização formal que a obra se transforma dialeticamente em algo empenhado, na medida em que suscita no leitor uma visão de mundo.[17] Macabéa caminha no sentido inverso do que pretende ser a construção do homem na sociedade erguida pela burguesia. Ao construí-la e lhe dar corpo e vida, a autora suscita no leitor uma visão de mundo que contraria a ideologia burguesa, desde seus primórdios.

O conceito de ideologia, tal como aqui empregado, foi emprestado a Terry Eagleton, considerando-se dois aspectos: primeiro, a ideologia não diz respeito a representações empíricas, mas a relações vivenciadas, das quais emana determinada visão de mundo; segundo, não é oriunda dos interesses de uma classe dominante, em sentido mais restrito, mas da estrutura material do conjunto da sociedade como um todo quando, em determinado momento da história, uma classe torna-se representativa dos interesses mais gerais da sociedade.[18]

Adjetivar a ideologia como burguesa, então, não significa considerá-la específica de uma classe; sociedade burguesa terá aqui a conotação da sociedade que se ergueu sob a égide da burguesia, como uma totalidade. Isto implica o enraizamento da ideologia na materialidade das relações sociais ditas modernas. Ideologia burguesa, por conseqüência, será a do conjunto social, o que não significa hegemonia no sentido pleno, pois que toda a ideologia supõe a possibilidade de fissuras, contradições. Assim, a ideologia burguesa, quando representativa do conjunto da sociedade, surge no interior de uma teia de relações vivenciadas pela sociedade moderna em seus primórdios, para se contrapor à coerção e ao consenso ditados pelo poder autocrático do absolutismo representativo da sociedade anterior:

17. Candido, 1985, p. 64-66.

18. T. Eagleton, *A ideologia da estética*. Trad. Mauro Sá Rego. Rio de Janeiro, Jorge Zahar, 1993, p. 40.

19. Ibidem, p. 21.

> Das profundezas de uma sombria e tardia autocracia feudal, surgia a visão de uma *ordem universal* de sujeitos livres, iguais e autônomos, obedecendo a nenhuma lei senão a que eles próprios se davam.[19] (grifo nosso)

Isso implica a concepção de outro tipo de homem, diferente em sua subjetividade, daquele representativo do absolutismo. John Locke,[20] pensador burguês do final do século XVII, que contribuiu com sua teoria para fundar as bases do pensamento liberal, propôs o trabalho como fundamento da propriedade e, com isso, no espírito humanista da sua época, definiu os atributos que julgou apropriados à formulação de uma nova concepção de homem, mais adequada ao seu tempo. Para este autor, os homens definem sua vida a partir do livre-arbítrio. O poder de realizarem suas próprias escolhas e trazerem todos, dentro de si, sua força de trabalho, cuja liberdade de uso em proveito próprio e da sociedade em que vivem, torna-os iguais, livres e fraternos. Considere-se que Locke, naquele momento, faz um enfrentamento com as monarquias absolutistas, cujos poderes e propriedades advêm de uma outorga divina e são legados, de forma sucessorial, a seus descendentes.

> Segundo ele, [Locke] cada indivíduo é responsável pela sua existência, que lhe é dada pelo seu trabalho, ou seja, pela capacidade que cada qual tem em seu próprio corpo de prover a sua subsistência. Com este princípio se abandona a Teologia como explicação da origem e conservação da vida humana.[21]

Nesse contexto, a substituição do "poder autocrático" pela "auto-identidade do sujeito", a que se referiu Eagleton, ganha sentido, porque diz respeito à produção de um tipo completamente novo de sujeito humano, que constrói a si mesmo e ao mundo pelo seu trabalho. Naturalmente, uma nova identidade produz uma estética com igual identidade. Essa identidade diz respeito a uma harmonia entre o sujeito e o mundo construído porque advém da sua necessidade e de seu desejo de obedecer às leis, à moral e à ética que ele mesmo criou. Mas, prossegue Eagleton,[22] a estética é um espaço ambíguo e perigoso, porque apresenta caráter contraditório. De um lado, ela representa força emancipatória, por ser o veículo que permite ir além da razão, no sentido usado pelo

20. J. Locke, Da propriedade. In *Segundo tratado sobre o governo*. São Paulo, Abril Cultura, 1973, p. 40-103.

21. Pedro A. Figueira. Introdução. In *Economistas políticos*. Trad. Pedro Alcântara Figueira. São Paulo/Curitiba, Musa/Segesta, 2001, p. 12.

22. Eagleton, 1993, p. 27-28.

autor, de colonização da razão; de outro, atua no sentido de "repressão internalizada", subjugando o homem ao que ele criou. A estética como costume, sentimento, impulso espontâneo, ou seja, enquanto apenas corporeidade, convive harmonicamente com a dominação política, porém, prossegue o autor, faz fronteira com a paixão, a imaginação, a sensualidade, nem sempre, tão facilmente incorporáveis: "Há uma fronteira para as paixões dos homens quando eles agem a partir dos sentimentos; mas nenhuma há, quando eles estão sob a influência da imaginação".[23]

A arte de Clarice, em *A hora da estrela* é, sem dúvida, o espaço sem fronteiras da imaginação, da sensualidade e da paixão, o que permite transitar por ela em busca da sua natureza contraditória. Contraditória no sentido de que é por meio da falta de paixão da sua principal personagem, Macabéa, que Clarice atinge as nossas zonas de paixão; pelo seu corpo magro, gesto desamparado, rosto inócuo, ar patético, desafia nossa sensualidade e imaginação. Todo o livro é um traçado sinuoso dessa "vida primária, que respira, respira, respira" e essa corporeidade vai nos tirando o fôlego devagar e nos deixando em suspenso, com um grito calado na garganta e uma dor funda no peito. É assim que Clarice tece a contra-ideologia, sem piedade, nem da personagem, nem do leitor.

A obra não apenas expõe, de forma contundente e dramática, a condição social de uma das tantas nordestinas pobres que "andam por aí aos montes". Mais do que isso, *A hora da estrela*, a julgar pelo estado de emergência em que é tecida, e pela forma como atinge a natureza social do homem, pode ser a história da própria autora e de todos nós, a história do homem em um mundo que o barbariza e o expõe a situações de miséria. Por isso, é uma história que "acontece em estado de emergência e de calamidade pública".[24] Trazendo ao centro do espetáculo uma personagem do quilate de Macabéa, Clarice instaura a contradição quando derruba por terra a concepção de homem difundida pela burguesia, fundada na "auto-identidade do sujeito" desde as suas origens, no sentido que lhe deu Eagleton.

23. Burke, in Eagleaton, 1993, p. 28.

24. Lispector, op cit., p. 106.

A elaboração dessa identidade, que diz respeito à ideologia burguesa segundo a qual cada homem, por seu esforço próprio e pelo livre-arbítrio, forja seu destino, foi amplamente favorecida pelo progresso que a Revolução Industrial conferiu à sociedade e esteve presente em todo discurso, quer estético, quer filosófico, até o século XIX, quando o crédito às possibilidades de humanização trazidas pela sociedade industrial começou a ser questionado. Os discursos do socialismo utópico, do anarquismo e do próprio marxismo, traduzidos pela literatura de autores como Emile Zola, em *Germinal*, por exemplo, demonstram que as bases que sustentaram, até então, a ideologia do homem livre, igual, possuidor de uma auto-identidade desmoronam-se. A desintegração do mundo construído pela burguesia está presente em toda a literatura burguesa, em sua arte, em sua produção cultural. A partir do último quartel do século XIX, os movimentos estéticos revelam-se por linguagens que expressam a desintegração, a irracionalidade, a ruptura e o recorte. No bojo desse movimento, a crise da forma narrativa linear e "de acontecimentos", própria do realismo clássico, e a ascensão da forma que ficcionaliza o existencial por meio do fragmento.

Sem que isso implique uma visada sociológica desnecessária, não se pode deixar de associar essa crise com o esgotamento do capitalismo de livre-concorrência. Significa dizer que a mudança de rumos na arte do século XX vem no âmago de mudanças mais amplas que ocorrem na base material. As crises no processo de acumulação, que assinalam o esgotamento da livre-concorrência, exigem a intensificação da exploração do trabalho para o que, no início do século, os processos taylorista e fordista de produção exerceram papel decisivo. O taylorismo e o fordismo, também conhecidos por administração científica do trabalho, foram mecanismos desenvolvidos por meio da utilização do cronômetro e da esteira rolante, para acelerar o ritmo da produção seriada na indústria de automóvel norte-americana e alteraram a organização do trabalho produtivo, intensificando o ritmo do trabalho operário em níveis insuportáveis para a capacidade humana, quando a ampliação do mercado mundial assim o exigiu. Na realidade, diz Gramsci, não se trata de novidade original, apenas da fase mais recente de um longo processo que começou com o industrialismo e, intensificando o ritmo do trabalho, acaba por romper, em definitivo, o velho nexo psicofísico do artesão.[25] O rompimento desse nexo, levado ao paroxismo, gera o fragmento. Significa dizer que sob a égide da sociedade fordista inviabiliza-se a percepção de totalidade; a sociedade gesta o homem-fragmento, com seu olhar-fragmento, que só consegue apreender o mundo pelos seus múltiplos recortes. O primeiro grande efeito causado por essa materialidade do trabalho foi, portanto, a fragmentação, o recorte, a autonomização do pensamento:

> Se a tricotomia das esferas de ação fora a maneira de a modernidade liberar a prática humana da unidade metafísico-religiosa, de então permitir o desenvolvimento da ciência, da ética e da arte não mais subordinadas a um centro teológico-filosófico, seu efeito positivo foi entretanto contrabalançado pela progressiva compartimentalização da vida. De autônomas, as esferas tenderam a se desagregar; com o indivíduo liberal, a ética se afastou do campo público, entendido como a arena das relações inautênticas, e se restringiu ao cultivo de um jardim privado [...] a ciência se tornou cada vez mais associada aos interesses do mercado e das políticas governamentais e a arte, um gueto cercado de flores, que aspira a paz dos museus.[26]

25. A. Gramsci, *Maquiavel, a política e o estado moderno.* Trad. Luiz Mário Gazzaneo. 7. ed. Rio de Janeiro, Civilização Brasileira, 1989a, 393 p.

26. L. C. Lima, *Dispersa demanda*: ensaios sobre literatura e teoria. Rio de Janeiro, Francisco Alves, 1991, p. 120-121.

27. M. Berman, *Tudo que é sólido desmancha no ar*: a aventura da modernidade. Trad. Carlos Felipe Moisés e Ana Maria L. Ioriatti. São Paulo, Cia. das Letras, 1986, p. 95.

Assim, a desagregação a que se refere Costa Lima acaba fazendo com que cada esfera do social pareça uma entidade autônoma, desprovida de qualquer ligação com a totalidade mais ampla da modernidade. Todavia, a desintegração trabalha como força mobilizadora e, portanto, integradora.[27] É preciso levar em conta, no movimento, a contradição. Bem por isso, na dialética desse movimento, projetos estéticos são forjados, exercendo e sofrendo influências recíprocas e produzindo o caos, a contradição e o princípio da incerteza, mas também instigando à luta, provocando desafios em consonância com os desafios postos pela própria sociedade, nesse movimento permanente de integração – desintegração – integração.

É preciso pontuar que o pólo puramente desintegrativo expressa-se naquela literatura que não consegue dialetizar com o pólo contrário, ficando restrita essa tarefa às poucas obras que adquirem magnitude exatamente porque com "engenho e arte" conseguem registrar o acirramento da contradição. Considera-se uma grande obra aquela capaz de conter a desintegração, a desconstrução, o desmanche, de tal forma que, sem anunciar, ao realizá-lo, já seja ela mesma uma nova forma integradora. Será, por isso, canônica de uma época. A esse propósito, poder-se-ia tomar uma definição do que a melhor produção da modernidade literária pode expressar e legar aos homens:

> Uma visão de mundo existente, dominante ou autenticamente contemporânea daqueles artistas que melhor conseguiram intuir a qualidade da experiência humana própria de sua época e que são capazes de exprimir essa experiência numa forma profundamente compatível com o pensamento, a ciência e a técnica que fazem parte daquela experiência.[28]

A hora da estrela possui exatamente esse potencial de, por meio do desvio estético, desintegrar integrando e instaurar, na linguagem, a contradição. É no sensível que Macabéa, estrela, nos atinge primeiro. No paradoxo que se instaura entre a realidade do corpo magro, seios murchos, cabelos ralos e seu patético e inviável anelo cinematográfico, há um chamado que prende a atenção do leitor para a urgência de se pensar sobre o que a sociedade tem feito com o ser humano, com o preenchimento do espaço entre o desejo e o devir, entre o sonho e a realidade. Como esses, são muitos os espaços que funcionam como mediações aproximativas do real e atestam a natureza ideológica da obra, embora Clarice opere sempre com uma linguagem que aponta para rupturas com o real. Mas ela mesma é quem diz:

28. M. Bradbury; J. Mcfarlan, *Modernismo – guia geral*. Trad. Denise Bottman. São Paulo, Cia. das Letras, 1989, p. 17.

> Se há veracidade nela (na história) – e é claro que a história é verdadeira embora inventada – que cada um a reconheça em si mesmo porque todos nós somos um e quem não tem pobreza de dinheiro tem pobreza de espírito ou saudade por lhe faltar coisa mais preciosa que ouro – existe a quem falte o delicado essencial.[29]

De modo que se poderá, por meio de duplos como verdade/invento, dinheiro/espírito, todos/um e de todos os demais "inventos" de Clarice, recorrentes ao longo da obra, apreender como a subjetividade objetivada da autora dá vazão a um projeto ideológico que, rompendo na linguagem com o real, perceptivelmente, o desenha nas frinchas do texto.

Finalmente, compreendendo-se a estética como um conceito carregado de ideologia, não se trata aqui de adotar uma perspectiva conspiratória apriorística, que busque ver na obra apenas um produto de engajamento social e denúncia. Procura-se, antes, captar as contradições sociais que o texto sugere e apreender, por meio delas, as possibilidades que tem *A hora da estrela* de alterar o horizonte de expectativas do leitor.

29. Lispector, op. cit., p. 26.

CAPÍTULO 3
O AVESSO DO "PAÍS QUE VAI PRA FRENTE"

Situada a obra no contexto mais amplo da ideologia burguesa e antes de entrar no estudo dos seus procedimentos e recursos estéticos para, por meio deles, detectar o viés contra-ideológico com que Clarice faz o leitor debruçar-se sobre a condição do homem na "sociedade tecnológica", procurou-se apreender como *A hora da estrela* colocou-se no cenário da década de 1970 e após, em relação às tendências literárias, no contexto brasileiro em que a obra se desenvolveu. Essas tendências dizem respeito especialmente à literatura que, por meio das técnicas próprias do romance, cumpriram, ou não, a tarefa de se contrapor, implícita ou explicitamente, em maior ou menor grau, a projetos articulados com a ideologia do sistema. Para situar melhor a obra, tome-se a seguinte afirmação:

> [...] à época da repressão política Clarice desembarcou na ficção de cunho social, revisando o filão nordestino legado por Graciliano Ramos e José Lins do Rego, ao introduzir Macabéa, versão feminina e frágil dos migrantes que saem atrás de melhor sorte quando se movem para o sul.[30]

A história de Macabéa tem todos os ingredientes para se realizar mimeticamente e transformar-se numa boa narrativa confirmadora dos valores vigentes, até porque o momento político que a engendrou era muito mais propício a um tipo de narrativa de confirmação da ordem estabelecida. No entanto, o fato de a crítica apontar, em *A hora da estrela*, uma tradição que vem de *São Bernardo*, de Graciliano Ramos, a qual, nitidamente, evidencia as contradições inerentes a um momento significativo do desenvolvimento capitalista no Brasil, já indica o caráter polêmico de *A hora da estrela*, que caminha na direção contrária ao que o momento sugeria. Para ilustrar, é importante um rápido traçado das condições político-ideológicas que o país atravessava, desde a instauração do regime militar.

30. Zilberman et al., 1998, p. 8.

Na ótica de um nacionalismo estreito e tardio, o regime militar sob o tacão das forças internacionais do capital, implantou no país um projeto econômico cujo propósito era elevar o Brasil ao *status* de país de primeiro mundo. Baseado na ideologia de que o capitalismo avançado é benéfico a todos, o único problema do Brasil era "chegar lá" e desfrutar das benesses do avanço. Má-fé ou ingenuidade? Não vem ao caso. O fato é que, obviamente, não se chegou lá.

Na base do projeto, a Teoria do Capital Humano[31] postulava que seria bom para o país e para cada jovem capitalizar sua própria força de trabalho, na ótica burguesa de ascensão pessoal por meio do trabalho e do livre-arbítrio. Entretanto, o retorno a esse postulado liberal de valorização do trabalho como fator de desenvolvimento e sucesso reside, nessa teoria, basicamente na redução do homem à mera força de trabalho. É preciso repontuar que a mesma ideologia contida na Teoria do Capital Humano está presente no discurso de John Locke, quando, sob a ótica do ideário liberal, define a moderna concepção de homem: "cada homem tem uma propriedade em sua própria pessoa [...]. O trabalho do seu corpo e a obra de suas mãos, pode-se dizer, são propriamente deles".[32]

Insiste-se neste ponto porque está em pauta a discussão de uma concepção de homem trazida por Clarice em *A hora da estrela*, na figura de Macabéa, contra a concepção que seria aquela divulgada pela ideologia liberal em seus primórdios e que assume, no Brasil, no interior do golpe militar, uma feição singular.

É importante sobrelevar a lógica cruel dessa ideologia que, exaltando o homem como proprietário de um capital pessoal rentável desde que qualificado, o reduz à simples força de trabalho. Essa ótica resultou em uma estratégia que, ao mesmo tempo, atrelou grande contingente de jovens à qualificação compulsória convertida em mero treinamento técnico no nível médio de ensino e comandou o desmantelamento das universidades brasileiras, a perseguição, o exílio, a prisão e a morte dos quadros mais expressivos da intelectualidade e das artes brasileiras, sem contar o grande contingente da juventude uni-

---

31. Teoria econômica desenvolvida por Theodore Schultz, segundo a qual o desenvolvimento e a ascensão de um país ao *status* de Primeiro Mundo dependem da qualificação massiva de seus quadros para o universo do trabalho. Essa teoria esteve na base de todo o projeto político-ideológico do período de repressão militar no Brasil, no interior do qual desenvolveu-se boa parte da literatura de Clarice Lispector.

32. Locke, 1973, p. 51-53.

versitária mais combativa e promissora do país que, sob a pecha de "comunista", foi dizimada. Segundo a ótica militar, as forças comunistas constituíam empecilho grave para a realização desse projeto. E não sem razão, pois o poderio da extinta União Soviética, nesse momento, ainda é ameaçador para as forças do capital, por razões intrincadas e complexas cuja discussão não cabe nos parâmetros desta obra. Na base do confronto, porém, colocam-se projetos humanos antagônicos. A resistência manifesta-se por várias formas, desde a guerrilha urbana até a fecunda produção cultural que se realiza nos porões da ditadura. Vale registrar um depoimento que atesta os efeitos dramáticos causados por essa verdadeira guerra civil que atinge a todas as classes sociais, indistintamente, desde que não haja concordância com a ideologia vigente. O depoimento é de Abel Silva, que escreve e publica no calor do combate, desenvolvendo o que ele mesmo definiu literatura de sintoma, forma testemunhal de expressar pelo biográfico o sentimento da intelectualidade e dos artistas do momento. Autor de O afogado e Açougue das almas,[33] escritos respectivamente em 1968 e 1969, e publicado o primeiro em 1971 e o segundo com edições em 1973, 1976, 1979, é assim que Abel define o momento:

> O barco afundou para todos. Foi o maior trauma coletivo brasileiro, foi a nossa guerra civil espanhola, o nosso Vietnã, foi muito maior que maio de 68 pra França, foi um envolvimento total, uma implosão. Então, de 74 em diante já começa a haver uma espécie de tomada de campo, a contagem dos mortos, a retirada dos feridos [...].[34]

O momento é aqui registrado para que fiquem patentes a realidade sangrenta por detrás do ufanismo desenvolvimentista do "milagre brasileiro" e a natureza ideológica desse discurso. Slogans do tipo "Esse é um país que vai pra frente" ou "Brasil, ame-o ou deixe-o" significaram a morte para aqueles não acreditaram no futuro "inventado" e o exílio para quem não amou conforme a concepção da ditadura.

33. A. Silva, O afogado. Rio de Janeiro, José Álvaro, 1971; idem, Açougue de almas, São Paulo, Ática, s.d.

34. Idem, entrevista concedida a Anos 70. In A. Novais (coord.), Ainda sob a tempestade. Texto introdutório a Anos 70: literatura. Rio de Janeiro, Europa, 1979-1980, 7 v., p. 22.

35. Novais, op. cit., p. 5.

36. A idéia de literatura consentida e não consentida emprestou-se de Antonio Gramsci, que faz a distinção entre escola interessada e desinteressada, no sentido da ação hegemônica, que consente com o estabelecido, e contra hegemônica, que atua na contramão, que enfrenta a situação de hegemonia. Contra-hegemonia, no sentido gramsciano, é uma força social manifesta que navega na contramão dos valores firmados como linhas de sustentação do poder estabelecido. In Gramsci, *Os intelectuais e a organização da cultura*. 5. ed. Rio de Janeiro, Civilização Brasileira, 1989b, p. 118.

37. H. B. Hollanda; M. A. Gonçalves, Política e literatura: a ficção da realidade brasileira. In Novaes, ibidem, p. 19.

38. D. Arrigucci Jr., Jornal, realismo, alegoria: o romance brasileiro recente. In *Achados e perdidos*: ensaios de crítica. São Paulo, Pólis, 1979, p. 79-115. Perguntaram e debateram com o autor: Carlos Vogt, Flávio Aguiar, Lúcia Teixeira Wisnik e João Luiz Lafetá.

No cenário desenhado pelo projeto desenvolvimentista, contaminado pela cultura da Coca-Cola, marcado pelo trabalho da censura de amordaçamento da palavra e capitaneado pela ideologia que elege o Brasil como "um país tropical abençoado por Deus", é que Clarice, na contramão, com *A hora da estrela*, atira na cara das elites a miséria humana que o grande capital internacional produz em países como o Brasil, periférico aos centros de concentração e acumulação de capitais. Ao alardeado milagre brasileiro Clarice contrapõe os verdadeiros bastidores do país, por meio de sua linguagem inovadora e corajosa, expondo de forma escancarada, na esteira de autores da grandeza de Machado de Assis e Graciliano Ramos, o que verdadeiramente o capitalismo pode fazer com o ser humano.

Seu projeto é compartilhado, no interior da ditadura militar, com mais tantos escritores, que de uma forma ou de outra, com sucesso ou não, constituem importantes esforços de "resistência cultural da década".[35] Essa resistência se constata pelo grande volume da produção cultural do período, como um concerto desafinado bastante revelador da situação dramática e contraditória representada pelo "regime de exceção" e evidenciada na literatura e na crítica. Atente-se para o título dado por Novaes ao balanço cultural do período: "Ainda sob a tempestade", muito apropriado, já que a repressão agiu com a força de um furacão.

O período produz, igualmente, com sucesso editorial, muita literatura "consentida".[36] Hollanda e Gonçalves a classificam como: "*pocket books* do tipo *bang-bang*, espionagem, romance adocicado, e traduções dos hits americanos...",[37] além da chamada literatura de não escritores, Ibraim Sued, Denner, Chico Anísio, a qual se menciona apenas para registro do que incluiu a produção do momento para, de imediato, dela se descartar e retomar a análise pela qual se interessa este trabalho.

Em relação à literatura do período, na entrevista intitulada "Jornal, realismo, alegoria: o romance brasileiro recente",[38] David Arrigucci Junior põe em debate uma tendência do romance dos anos 1970 de fazer literatura mimética, muito próxima do realismo, com forte lastro de documento e, assim, ligada à tradição geral do romance brasileiro desde suas origens. Uma espécie de neo-realismo, de neonaturalismo expresso, na década, pelo romance-reportagem que utilizaria a mesma técnica do romance-reportagem própria do naturalismo típico, adotada ainda no século XIX.

Arrigucci afirma que o uso da alegoria – representação de um fato singular para aludir a uma situação geral –, recorrente nessa tendência, presta-se a um esforço frustrado de representar a realidade social. O fracasso decorre não apenas da escolha de recortes da realidade social que não representam suas contradições fundamentais, como também, do uso de técnicas literárias conservadoras, que não inovam e muito mal vão na esteira de escritores de vanguarda, além da dificuldade inerente ao alegórico de, numa linguagem mimética, articular a situação particular com a geral.

Entende o crítico que a proposta seria a de suprir o discurso histórico, ainda por ser escrito, por meio da literatura e que a idéia é a de fazer a história que não pôde ser escrita. A afirmação parece razoável, dadas as circunstâncias políticas do país controlado pela censura, em que adquire corpo essa produção.

Nesse debate, a obra de Clarice é mencionada de passagem por Arrigucci, como a de "conteúdo reflexivo mais forte que apareceu na ficção brasileira, de uns tempos para cá".[39] E prossegue afirmando que toda a produção do período é de nível qualitativo inferior ao alcançado nas décadas de 1930, 1940 e até 1950, que é o momento em que surge *Grande sertão*: veredas, e tem continuação parte importante da obra de Clarice, a que é publicada no começo da década de 1960.[40] A referência ao conteúdo reflexivo pode estar ligada à forma um tanto obsessiva como Clarice conduz o leitor, na totalidade de suas obras, a centrar o olhar no homem, na sua existência.

De modo que a entrevista, se não desvela muito a posição de Clarice no cenário nacional, oferece uma idéia das tendências literárias que no período tentam falar da realidade brasileira na

39. Ibidem, p. 81.

40. Ibidem, p. 109.

ótica de um realismo mimético. Arrigucci diz que esse tipo de literatura circunstanciada, ao pegar o inessencial, atribuindo sentido a tudo e, portanto, a nada, acaba naufragando na singularidade, sem cumprir efetivamente o que se propôs. É pois uma literatura que, se não compactua com a ideologia vigente, também não consegue servir como instrumento contra-hegemônico. Pelo seu caráter circunstancial, não encontra a linguagem necessária para fazer a ponte exigida pelo alegórico.

Nesse sentido, *A hora da estrela* está fora da tendência, não só pelo seu "conteúdo reflexivo", mas porque, do ponto de vista estético, ao falar da realidade brasileira, o faz por meio de uma linguagem "instintiva, intuitiva e sensorial", costurando o real pelo avesso, como se não o costurasse. As dificuldades apontadas pela crítica em relação à literatura do período, em Clarice não encontram guarida justamente porque, diferentemente do que foi detectado, o projeto estético de *A hora da estrela* em nenhum momento foi circunstanciado. Não se prendeu ao período militar, embora estivesse no centro do regime. Em 1979, Berta Waldman,[41] ao escrever sobre *A hora da estrela*, dirá que os enunciados dubidativos e hipotéticos com que o autor/narrador registra os movimentos de Macabéa marcam a visão indireta e distanciada dos acontecimentos narrados que contracenam com uma visão direta e próxima. A artimanha de intercalar a narrativa sobre a vida de Macabéa na sociedade, com as fingidas dificuldades do narrador para descrever essa trajetória, cria, pela fuga ao recurso único da linearidade, o distanciamento necessário para que a obra não resultasse em mais uma literatura mimética, no período. Do ponto de vista temático, se quis falar da realidade brasileira, e quis, o fez por uma singularidade cujas circunstâncias transcendem uma década, um país, um projeto político. Macabéa, como já se afirmou, pode até representar, em certo nível, a experiência social do nordestino pobre diante da seca, uma situação social tipicamente brasileira, mas representa acima de tudo, na sua profunda solidão, na coisificação de sua existência, a condição do homem na sociedade, de forma geral e abrangente.

41. B. Waldman, *Armadilha para o real*: uma leitura de *A hora da estrela*, de Clarice Lispector. *Remate de Males*, n. 1, São Paulo, Duas Cidades, 1979, p. 65-66.

Na esteira dessa crítica, compondo um balanço minucioso do cenário político, da literatura, do jornalismo e da própria crítica literária nos anos 1970, Hollanda e Gonçalves[42] mostram, em Arrugucci, o surgimento de uma farta produção editorial em que obras dos mais variados matizes, cujo ponto de convergência é servir de testemunha ocular da história recente, procuram de forma velada registrar, com ou sem sucesso, dificuldades do novo momento.

Os autores chamam a atenção para as dificuldades de autores clássicos do romance político recente em retratarem uma geração e uma experiência que, no caso, lhes seriam exteriores e, ainda, de articularem o recurso alegórico com o compromisso do realismo que desejam expor, não obstante o desejo de contar uma história em contraposição à verdade oficial, e assim servir de testemunho ocular dos fatos.

Outra vertente apontada pela crítica na literatura da década de 1970 é o relato memorialista em que o narrador assume a primeira pessoa, voltando-se para a reconstrução da sua própria história. Uma forma, a mais arcaica, diz a crítica, de testemunhar a realidade pelo viés da experiência pessoal.

A mesma avaliação crítica inclui, ainda, a chamada "literatura de sintoma", em que, na "forma testemunhal de descrição", o escritor flagra certo tipo de sentimento que marca o intelectual e o artista desse momento pela dúvida, perplexidade e asfixia; a literatura pasteurizada da classe média; o luxo do vazio; as intervenções literárias de tipo anárquico, "dentro das aspirações culturais do Brasil Médici/Passarinho", revelando, antes de tudo, uma desconfiança radical quanto às possibilidades de descrição do real, relativizando ainda, e principalmente, o próprio discurso literário. Essa última tendência, segundo a crítica, estava mais empenhada na campanha do que no resultado e teve sua importância no sentido de desmentir a idéia consensual de que a juventude do período padecia de alienação e apatia. A tendência representa a face da juventude brasileira que não aderiu à guerrilha urbana, segundo a crítica.

O modelo econômico-político adotado pelo regime militar, já por volta da última metade da década de 1970, começa a

42. Hollanda; Gonçalves, op. cit., p. 7-79.

mostrar sinais de exaustão. Mais próximo ao período em que Clarice produz *A hora da estrela*, os primeiros sinais de colapso, entrevistos no descontentamento geral da população e na perda de coesão das forças do regime, recompõem o cenário cultural no Brasil. Nesse quadro, a Política Nacional de Cultura (PNC), assinada por Ney Braga no governo Geisel, sistematiza as prioridades e define as concepções que devem reger a vida cultural brasileira. No objetivo maior da PNC está expressa a concepção de homem brasileiro: "democrata por formação e espírito cristão, amante da liberdade e da autonomia".[43]

É importante assinalar a concepção exposta na PNC porque, em um quadro de crise, a ideologia é chamada a compor um pensamento reverso à dimensão coercitiva do regime. O esmaecimento das contradições precisa ser realizado pela veiculação de uma ideologia que, perpassando os instrumentos da cultura, crie a ilusão de liberdade, autonomia e bem-estar coletivo. E são literaturas como a de Jorge Amado e Nelson Rodrigues que, segundo a crítica, ilustram a concepção de homem expressa na PNC, respondendo "às aspirações de conhecimento do 'âmago do homem brasileiro'".[44]

É possível ver em Jorge Amado o padrão do que poderia ser a desejável literatura de integração nacional. Um notável contador de histórias que ultrapassa o caráter regionalista e acaba por se tornar emblemático "do homem, do sabor e do narrar brasileiros". A ideologia veiculada por essa literatura de exaltação do Brasil e de que "tudo que é bom vem do povo" é por onde se realiza a catarse do brasileiro oprimido. Por isso, o sabor de *best-seller* e a boa colocação no mercado. A técnica de *best-seller* usada por Jorge Amado é oportuna para o momento político, porque fazendo a narrativa fluir com facilidade por cenários tropicais e fazendo uso de temas de cunho populista, em uma linguagem de fácil assimilação pelas massas, não oferece nenhum perigo ao sistema. Bem sintomática é a afirmação de que Jorge Amado e Nelson Rodrigues ocupam naquele momento o lugar que já pertencera a Guimarães Rosa e Clarice Lispector, a fim de referen-

43. Hollanda; Gonçalves, op. cit., p. 35.

44. Ibidem, p. 42.

ciar, para os escritores jovens, o que seria o parâmetro de qualidade literária.

Em 1982, já com um pouco mais de distanciamento temporal dos acontecimentos político-ideológicos do período, continua o debate da crítica sobre o comprometimento da literatura com a ideologia vigente. Mais uma vez, esse debate se dá em torno do maior ou menor distanciamento da ficção com o real. Se, entretanto, a literatura foi vista pela crítica, no calor do momento, em suas possibilidades ou não de se contrapor ao projeto político ideológico vigente por via do estético, adiante, as preocupações distanciam-se para tentar apreender no movimento estético mais amplo as vinculações e os comprometimentos em maior ou menor grau com a ideologia burguesa.

Em João Alexandre Barbosa,[45] a questão ideológica não se põe senão de uma forma muito esmaecida pela afirmação de que o caráter moderno do romance diz respeito a uma espécie de desarticulação percebida no nível de construção do texto como resultado das relações entre indivíduo e história e de que esse descompasso entre a realidade e sua representação exige a ruptura com o modelo realista. O que Barbosa não aprofunda é que tipo de circunstância histórica criou as condições da ruptura. Quando o crédito às possibilidades de humanização trazidas pela sociedade industrial começa a ser combatido em vez de apenas questionado, isto se patenteia por uma arte que gradativamente vai se afastando dos padrões realistas naturalistas, como já se argumentou anteriormente e a desintegração, a ruptura, o recorte e, em alguns movimentos, até mesmo, a irracionalidade, dão a tônica na produção das artes. A essa arte chamou-se moderna.

Ao discutir a modernidade do romance, João Alexandre Barbosa atribui a Machado de Assis a paternidade. É ele quem primeiro imprime essa marca no romance brasileiro. Na seqüência, coloca os autores de proa dessa tradição, desde Oswald de Andrade, Mário de Andrade, os da primeira geração; depois, na década de 1930, Graciliano Ramos,

45. J. A. Barbosa, A modernidade do romance. In O livro do seminário. São Paulo, LR Editores, 1982, p. 21-42.

para, então, trazer à cena Guimarães Rosa e, por último, Clarice Lispector.[46]

Nos romances de Clarice, o crítico destaca uma marca de origem, qual seja, a de registrar os diáfanos limites entre realidade e representação, sem perder o controle da composição. Essa análise, no entanto, não esclarece o caminho intentado, qual seja o de captar, na composição textual de *A hora da estrela*, as contradições desenhadas no descompasso desta com o mundo. É Benedito Nunes[47] quem aponta a problemática ao evidenciar que, justamente quando desconfia de uma relação direta e imediata com a realidade, o romance moderno previne-se criticamente do cerco das aparências e salva sua vocação realista, fazendo recair sobre a linguagem retrabalhada o ônus de novamente ligá-lo ao real. Há como uma consciência dos nexos por meio dos quais o trabalho de linguagem articula-se à ideologia de uma sociedade, à sua cultura. Esse é o espaço da contra-ideologia.

46. Barbosa, op. cit., p. 21-42.

47. B. Nunes, Reflexões sobre o moderno romance brasileiro. In *O livro do seminário*. Bienal Nestlé de Literatura Brasileira. São Paulo, LR Editores, 1982, p. 45-69.

PARTE II

História lacrimogênica de cordel?

CAPÍTULO 4
AS ENTRADAS DO TEXTO

Passa-se, doravante, ao corpo do texto, a fim de confirmar, pela análise, como o viés contra-ideológico é captado na literariedade da obra. A forma como Clarice a inaugura revela-se já por esse viés. A obra apresenta duas significativas portas de entrada: uma dedicatória e um conjunto de treze títulos, dentre os quais Clarice selecionou aquele que deu nome ao livro. A dedicatória, como diz Clarisse Fukelman apresentando a 23ª edição de *A hora da estrela* da editora Francisco Alves é a "ante-sala do texto, lugar reservado à expressão da afetividade". Dir-se-ia que, em ambas as entradas, os parâmetros estético-ideológicos estão dados, no sentido do que é relevante para o leitor captar no decurso da leitura e as pistas de como captar.

A Dedicatória do autor (na verdade Clarice Lispector) é o único espaço em que esta efetivamente assume a autoria do texto, que é narrado pela personagem Rodrigo S. M.,[1] espécie de heterônimo da autora, à moda de Fernando Pessoa, criado para conduzir a história. Como em Pessoa, essa máscara é só um fingimento, já que, perceptivelmente, na dedicatória, a autora se anuncia. Ao longo de toda a obra, o narrador funciona como uma espécie de *alter ego*, por meio do qual Clarice exprime todos os seus conflitos de escritora que vive uma condição social confortável, tendo que se haver com o desconforto do convívio, ainda que temporário, com uma personagem "cariada" como Macabéa, expediente muito oportuno por onde captar as condições de classe que medeiam o espaço entre a produção de Clarice e o público menos seleto. Esse distanciamento, que uma parte da crítica aponta na literatura da autora, pode explicar o tom solene, fugidiamente irônico dessa seleção inicial de músicos a quem a autora dedica a obra. Músicos sim, mas de muito quilate. Afinal, a própria autora declara, em entrevista concedida a Júlio Lerner, em 1976: "Bom, me chamam até de hermética. Como é que eu posso ser popular sendo hermética?".[2]

1. Hipóteses são aventadas para explicar o sobrenome abreviado do narrador: substantivo masculino ou Sua Majestade.

2. Entrevista concedida à TV-2, em 1976. In Gotlib, 1995, p. 457.

A propósito da proximidade com Pessoa, no entanto, é importante considerar que, ao criar seus heterônimos, ele confere a cada um identidade própria, estilo singular. Não é o caso de Rodrigo em *A hora da estrela*. O modo como, por entre os parênteses, a autora sorrateiramente põe-se a público indica já que, ao longo da obra, na figura do narrador, é a mesma Clarice do conjunto de sua ficção, com a mesma linguagem e o mesmo estilo, que será encontrada. Também essa opção heterônoma pode ser observada do ponto de vista do contexto como uma provocação aos setores da crítica que insistiam em apontar sua obra como escrita feminina,[3] mas pode ainda revelar uma consciência das possibilidades de a linguagem funcionar como uma espécie de jogo de armar, que exige do leitor um esforço a mais no desvelamento do ideológico, como em Camões, em que a mensagem revela-se por expedientes de ocultamento. Gomes, ao analisar poemas camonianos em que o jogo combinatório desafia o leitor, diz que o poeta, estrategicamente, aumenta o grau da dificuldade da leitura, tendo de se analisar o poema por vários ângulos até se descobrir a combinatória preestabelecida. Esse recurso lírico transplantado para a ficção é um tipo de expediente em que seus sentidos revelam-se não pelo explícito, mas por seu avesso. Rodrigo é o avesso que, contracenando com Clarice, "oferece-nos uma visão labiríntica do mundo configurada no próprio labirinto verbal".[4] No caso, o labirinto ficcional da trama de *A hora da estrela*, construído pelas, muitas vezes até inoportunas, interrupções do narrador na narrativa.

Há outra função da dedicatória inaugural. A invocação da "tuba canora" poderia substituir a voz que falta, o silêncio que se instala no espaço aberto pela parca palavra das personagens. Com o lamento de um *blues*, gênero musical muito propício ao ofertório "desta coisa aí", Clarice abre o texto rendendo loas à, essa sim, grande sinfonia orquestrada pelas vozes sonantes (ai de nós – ai de uma vida tão desafinada como a de Macabéa) de Chopin, Bethoven, Mozart, Bach, Stravinsky, Strauss, e tantos outros que com sua música vigo-

3. Entrevista a Olga Borelli. In Gotlib, ibidem.

4. M. dos P. Gomes, Ensaio para ler Camões. Miscelânea. *Revista da Faculdade de Ciências e Letras de Assis*. São Paulo, Universidade Estadual Paulista, 1998, p. 191-201.

rosa escreveram a história da modernidade. E Marlos Nobre,[5] para não esquecer o Brasil.

A homenagem preliminar que, na Dedicatória do autor (na verdade Clarice), começa, não por acaso, justamente por Schumann, o mais fúnebre e melancólico, estabelece o tom do discurso ao longo de toda a obra. É como se, diante do silêncio triste imposto às personagens pela condição a que a sociedade as relegou, Clarice recorresse, na contramão, a outra linguagem, mais poderosa e mais bela, que dispensa a palavra, já que esta foi subtraída às personagens.

Atente-se, ainda, para as implicações contidas na polissemia do verbo dedicar. Em "Dedico esta coisa" o significado é a oferenda, no sentido da relação obra/público. Em "Dedico-me", porém, a sintaxe do período conduz a outra construção semântica, a do ocupar-se, entregar-se, consagrar-se, dar-se. Em toda a "Dedicatória", desde o desdobramento de Clarice no seu contrário, o autor-narrador-Rodrigo, o sentido emprestado ao discurso vai sendo costurado por antíteses que demonstram a entrega de Clarice ao ato escritural, cujos ecos ela busca no dúplice: seu universo interior simbolizado pelos gnomos, anões, sílfides e ninfas, e o universo exterior, simbolizado pela cor rubra muito escarlate de seu sangue de homem e por Schumann e sua doce Clara, convertidos em ossos, e assim reduzidos a uma natureza puramente biológica. E a antítese é a figura por excelência para explicitar a contradição.

Clarice recorre, ainda, à lembrança de "quando tudo era mais sóbrio e digno e eu nunca havia comido lagosta", de uma antiga pobreza, que aproxima não só do universo desenhado na obra, mas do público que lhe serve de referência, como a atestar que bem sabe do que está falando, por ter sido alguma vez pobre, ela também, tal qual Macabéa, apontada por depoimentos e por passagens de sua vida, narrada por Nádia Gotlib.[6] Esses são sinais reveladores de que Clarice não tem só uma consciência de linguagem, mas também de mundo. *A hora da estrela* é um projeto que espera por respostas: "Trata-se de um livro inacabado porque lhe falta a resposta. Resposta esta que espero que alguém no mundo ma dê. Vós?".

5. Compositor brasileiro (1939-), estreou no Rio de Janeiro em 1965 com *Divertimento*, para piano e orquestra. Em sua produção musical, convivem diversas técnicas contemporâneas, pesquisas tímbricas e um interesse constante pelas raízes musicais brasileiras.

6. Gotlib, 1995.

A outra entrada ao texto é o conjunto dos treze títulos, dentre os quais se inclui "A hora da estrela", que Clarice selecionou e organizou, na seqüência da Dedicatória, em forma piramidal, atravessado por sua assinatura. O recurso pleonástico da multiplicidade dos títulos, que inauguram a obra, é extremamente revelador.

No dizer de Arnaldo Franco Junior, os títulos permeiam a obra, à maneira de um *puzzle*, o que "indicia a tensão entre o apelo emocional e o apelo irônico".[7] O autor menciona Gotlib, segundo a qual, os títulos sugerem "a busca de identidades culturais, existenciais e sociais – por parte de seus personagens" e conclui que "eles denotam as diversas reações daquele que tem diante do que não tem".

Segundo a ótica deste trabalho, no intervalo do jogo entre o apelo emocional e o irônico mencionado por Franco Junior, os recursos estéticos manipulados pela autora funcionam como uma espécie de "chamada" ao leitor. Ainda que Clarice tente criar a ilusão de que os títulos antecederam a obra, pela harmonia com que eles se inscrevem no corpo do texto, é mais viável o contrário. Procede como se os pinçasse e examinasse para decidir qual o mais adequado para nomear a obra. Ao recortá-los do corpo do texto e compor com eles uma espécie de ladainha, mesmo sem uma intenção explícita, dá pistas de encaminhamento à leitura.

Títulos como *A culpa é minha*, ou *Eu não posso fazer nada*, caso fossem escolhidos para nomear a obra, funcionariam como índices reveladores de uma intencionalidade política de assumir, ou não, uma responsabilidade social, subsumida ao ato literário. Mas, se não foram escolhidos, por que estariam ali? Talvez Clarice quisesse atestar uma consciência de que é possível tomar partido, seja pela indiferença quanto a condição social do homem, seja por adesão à sua causa. Ela não faz nem uma coisa nem outra; apesar disso, no entanto, ao desprezar outro título *Ela que se arranje*, parece ter julgado que não se pode passar ao largo do que aflige e consome a todos aqueles que têm consciência social. Então, o que fazer? O jeito é trazer à baila o homem, para o

---

7. A. Franco Junior, *Mau gosto e kitsch nas obras de Clarice Lispector e Dalton Trevisan*. Dissertação (Doutorado). USP, São Paulo, 1999, p. 234.

centro da cena, e exibi-lo em sua precária condição humana. Ao eleger *A hora da estrela*, por meio de Macabéa, ela faz uma opção pelo homem e seu tempo. Atesta que Ela (Macabéa–o homem) não sabe gritar e por isso grita por ela–ele. Faz, então, da escritura da obra *O direito ao grito*, que por ter encontrado na escritora a voz necessária, pode ser mais um título desprezado, junto com outro, *Registro dos fatos antecedentes*. O fato de ela ter deixado de lado também este título confirma que o grande momento, o que merece dar identidade à obra, seu clímax, é o da morte, que simbolicamente liberta o homem "de si e de nós", do seu viver miserável, por isso, *A hora da estrela*.

História lacrimogênica de cordel é um título que se aproxima da temática, mas não revela o "espírito" do texto e o texto não quer ser apenas ou principalmente temático; pretende que, por outros caminhos, o tom seja captado; *Saída discreta pela porta dos fundos* é emblemático do que seria a morte de mais uma das tantas "nordestinas que andam por aí, aos montes", e bem poderia ser adequado, caso Clarice não emprestasse ao momento da morte a magnitude exigida para que o leitor pudesse ser tocado: "O final foi bastante grandiloqüente para a vossa necessidade?".[8] Finalmente, o *Assovio no vento escuro*, *Uma sensação de perda*, *O lamento de um* blues são imagens com que a autora expressa o essencial do texto, aquilo que transgride a lógica e atinge no peito o leitor.

Todos esses títulos sugerem a arquitetura artística de uma contra-ideologia. Ao abrir a obra com tantos títulos, Clarice parece querer estabelecer, de início e para não se preocupar mais com isso já que é escritura de ficção, um diálogo filosófico com o leitor, de modo a situá-lo acerca dos seus propósitos que efetivamente têm que ver com o homem, o ser social. Isso se confirma no decurso do texto, quando Clarice chama o leitor para o ser entrevisto em Macabéa: "Cuidai dela porque meu poder é só mostrá-la para que vós a reconheçais na rua, andando de leve por causa da esvoaçada magreza".[9] Seria essa a resposta que a autora espera de quem

8. Lispector, 1995, p. 105.

9. Ibidem, p. 23.

lê o texto? Isto não está dito. Macabéa porém foi mostrada com "engenho e arte". O inacabado do livro seria o inacabado de histórias tantas como a dessa nordestina, ainda por morrer, que podem ser salvas? Conheça-se um pouco mais a sua substância e ver-se-á que, por essas portas de entrada e por todo o posterior desenvolvimento, a obra vai se inscrevendo na série literária brasileira como uma proposta contra-hegemônica diante do projeto ideológico vigente.

CAPÍTULO 5
A LINGUAGEM

> Assim é que esta história será feita de palavras
> que se agrupam em frases e destas se evola um sen-
> tido secreto que ultrapassa palavras e frases.
>
> Clarice Lispector

Antonio Candido, na sua crítica à primeira obra de Clarice, diz que a autora é capaz "de levar a nossa língua canhestra a domínios pouco explorados, forçando-a a adaptar-se a um pensamento cheio de mistério [...]".[10] Uma das grandezas de Clarice é, justamente, forçar a língua a aventurar-se "por mares nunca dantes navegados", descerrando seus mistérios numa prosa inaugural, na qual se misturam diversas formas e modalidades de linguagem. *A hora da estrela* é contaminada pela linguagem metafórica, musical e até sacralizada.

A linguagem na sua expressividade poética, por exemplo, no que tem de possibilidades de rupturas, dadas pelo caráter polissêmico e metafórico da palavra, é um elemento decisivo para a costura contra-ideológica. A palavra, o verbo, é a matéria básica da poesia. "[...] No descomeço era o verbo. [...]", diz Manoel de Barros.[11] Confirma Drummond: "[...] Chega mais perto e contempla as palavras. / Cada uma / tem mil faces secretas sob a face neutra [...]".[12]

Clarice vai na esteira da poesia: "Sim, mas não esquecer que para escrever não-importa-o-quê o meu material básico é a palavra";[13] ou, ainda, "Este livro é um silêncio".[14] Não é, todavia, pelo conteúdo declaratório que Clarice atesta seu envolvimento com a palavra, mas pela forma – no que ela se reveste de matéria poética – de transgressão e rompimento permanente com o formato padrão da língua, com a norma culta. Veja-se como a expressão não-importa-o-quê é substantivada para exercer função de objeto do verbo; ou como o paradoxo se instaura no jogo palavra/silêncio, sim/não.

O paradoxo, utilizado sobejamente pela autora, é um dos recursos mais caros à transgressão da lógica que ordena o

10. Candido, 1985, p. 53.

11. Manoel de Barros, *O livro das ignoráças*. Rio de Janeiro, Civilização Brasileira, 1993.

12. C. D. Andrade, "Procura da poesia", in *Obra completa*. 2. ed. Rio de Janeiro, Aguillar, 1967.

13. Lispector, 1995, p. 28.

14. Ibidem, p. 30.

discurso. Por isso, é o mais adequado para explicitar a contradição que ele sugere. Aliás, surgirá visível este recurso, ao longo da obra, de forma recorrente. Por exemplo, em dois enunciados que revelam, respectivamente, o jogo entre o estético e o ideológico:

> O que escrevo é mais do que invenção, é minha obrigação contar sobre essa moça entre milhares delas. É dever meu, nem que seja de pouca arte o de revelar-lhe a vida. Porque há o direito ao grito. Então eu grito[15].

Páginas adiante, indagará:

> Por que escrevo? Antes de tudo porque captei o espírito da língua e assim às vezes a forma é que faz o conteúdo. Escrevo portanto não por causa da nordestina mas por motivo grave de "força maior", como se diz nos requerimentos oficiais, por "força de lei"[16].

Ao depreciar o artístico, Clarice estabelece a contradição no primeiro enunciado. Ela tem consciência de que domina magistralmente a língua e o revela no enunciado seguinte, ao afirmar que captou o espírito da língua. Então, finge a pouca arte para sobrelevar a nordestina e aí instaura a contradição, porque seu grito só vai ser ouvido por sua muita arte. Se a nordestina não está em pauta, por que Clarice atribuiria peso valorativo ao grito, a ponto de o eleger como um dos possíveis títulos da obra? De modo que a contradição não está explícita, mas se revela no jogo discursivo.

Outros paradoxos ao longo da proposta parecem ter sido construídos para dar relevo à contradição: a predição de um futuro glorioso contracenando com a morte na sarjeta; a referência ao morango vermelho que arremata a narrativa atribuindo à morte o valor simbólico de libertação e vida. A essa referência sucede uma nova afirmação da vida, pela substituição de fonemas, no jogo dos sintagmas *fim* e *sim* com que a autora fecha a narrativa como se não fechasse, já que *fim*

15. Lispector, ibidem, p. 27.

16. Ibidem, p. 32.

sugere interrupção de um processo, e sim, ao contrário, supõe afirmação, continuidade. Como o vermelho do morango, a troca dos fonemas anula o ato da morte.

Todos esses componentes revelam, em certa medida, um modo de articulação entre a literatura e a realidade e, assim, um viés contra-ideológico. Ao desarticular a palavra, Clarice aponta para a própria desarticulação "que marca e reduz o homem na história"[17].

À riqueza do universo metafórico utilizado pelo narrador, Clarice opõe a economia lingüística das personagens. "Maca, porém, jamais disse frases, em primeiro lugar por ser de parca palavra."[18] Neste caso, o paradoxo atesta o exílio do homem na sua própria terra, a existência de uma sociedade que segrega e confina o ser humano. Subtraído à linguagem, o que é o homem se é essa a sua marca distintiva? A autora, afinal, ao destituir a personagem do vigor da palavra, em contraposição às possibilidades pluridimensionais da linguagem utilizada pelo narrador, põe em destaque, pelo contraste, a miséria humana da (des)palavra. Se não, por que teria escolhido trabalhar com a escassez? Afinal, o Nordeste tem uma riqueza sígnica que brota espontânea do povo humilde, do repentista, do contador de estórias que assedia os turistas; enfim, por que Clarice, que tão bem conhecia o povo nordestino, fez o recorte pelo ângulo do contido, da escassez? Porque é pela escassez que ela atesta o fracasso do humano, por meio do rompimento com a sintaxe tradicional, expressa no balbucio, nas respostas curtas, no diálogo reduzido e, até, no silêncio duro, mas sonoro, um silêncio icônico porque sugere o que se quer assinalar, sugere a impossibilidade de, na sociedade tecnológica, recompor o homem partido e solitário.

Ademais, a linguagem é produto de intercâmbio, e o mundo de Macabéa "fora composto pela tia, Glória, seu Raimundo e Olímpico – e de muito longe as moças com as quais dividia o quarto".[19] É importante assinalar que numa sociedade marcada pelo trabalho, as relações sociais estão muito confinadas ao mundo do trabalho. Vem daí que, tirando a tia que a

17. Barbosa, 1982, p. 37.

18. Lispector, ibidem, p. 87.

19. Ibidem, p. 81.

criou, seu mundo adulto, em torno do qual gira a trama, restringe-se à relação com o patrão e a colega de trabalho. Olímpico representa uma passagem rápida na vida de Macabéa, e o insucesso da relação transita na esteira da desarticulação da linguagem. Na verdade, todas essas personagens são pontuais e surgem na trama apenas para confirmar a profunda solidão de Macabéa. Nenhum laço afetivo, nem família, nem amigo, nenhuma possibilidade de intercâmbios mais substantivos que pudessem ampliar e aprofundar seu *discurso-rio*, como traduz a poética João Cabral de Mello Neto.[20] A linguagem de Macabéa é água paralítica, em situação de poço, estancada e muda porque com nenhuma outra comunica. Falta-lhe o fundamental, o intercâmbio.

A musicalidade é outro recurso que atravessa todo o texto. Com as referências que faz à linguagem musical, Clarice marca o compasso narrativo, define o tom do narrador, devolve voz às personagens, do jeito que dá, nas condições impostas pelo que a ficção permite.

Ao narrador, Clarice confere o canto alto, agudo de uma melodia sincopada e estridente, que nasce, como ele mesmo anuncia, da dor de dente que perpassa a história e que lhe fisga a boca, porque a dor de Macabéa é a do narrador/autora e de todos nós. Por isso, "a fisgada funda em plena boca nossa"; ainda, Clarice confere ao narrador a alternância da flauta doce com o trombone, que é para alcançar todos os tons de Macabéa, humana afinal; e "o rufar enfático dos tambores batidos por um soldado",[21] que cessará no exato momento em que a história começar, pois que toda a execução que se preza tem um tambor que rufa. E Rodrigo – isso já está no ar desde a primeira página – deverá executar Macabéa. A história é apenas o ritual que antecede essa morte anunciada. Quando, porém, o leitor começa a se preparar para sofrer por Macabéa, eis que Rodrigo traz à cena "acordes de piano alegre", como símbolo de um possível e esplendoroso futuro. E assim, no descompasso entre a esperança e o senso de fatalidade, Clarice desestabiliza o leitor, tirando-o da previsibilidade esperada

20. J. C. Melo Neto, *A educação pela pedra e depois*. Rio de Janeiro, Nova Fronteira, 1997, p. 21.

21. Lispector, op. cit., p. 37.

de uma ficção que possa fazê-lo acreditar "que o mundo é bom e a felicidade até existe", parodiando a também previsível música da Jovem Guarda.

Finalmente, ainda para Rodrigo, o violino, tocado por um homem magro, de paletó puído, um dos muitos índices com os quais Clarice demarca os espaços sociais. Para Macabéa, o som barato de um radinho à pilha e, na hora da morte, a musicalidade de um surdo terremoto e o troar de raios. Aliás, com Macabéa, Clarice é sempre menos generosa, e nem poderia ser diferente, em vista da condição social que lhe confere. Ao longo da vidinha insossa, apenas o uivo do vira-latas abandonado e o assobio de um homem na noite escura. Quando muito, um cantar de galo na madrugada e, luxo puro, "Una furtiva lacrima", "cantada por um homem chamado Caruso" que ouvira, mais luxo ainda, na Rádio Relógio, e ensaiara cantar com a voz desafinada.

A musicalidade revela-se também no ritmo do narrado, quando este remete à profunda solidão que Macabéa carrega desde a infância, à qual o leitor só tem acesso por suas reminiscências, e que têm um ritmado de garoa (Macabéa só chove, diz Olímpico) e sugerem música ao longe, sons da natureza; ou, já na fase adulta, o rodopio solitário ao som do rádio, numa tarde qualquer pilhada ao trabalho insosso, por uma deslavada mentira; e, ainda, indiciada no compassado agônico dos momentos finais, que lembram Schumann, ou marchas fúnebres. Estas são situações icônicas em que o eu mais profundo da personagem, ao custo dos "maus antecedentes" rememorados, do isolamento cotidiano ou do detalhamento frio das circunstâncias que lhe envolvem a morte, atingem primeiro a sensibilidade do leitor e, por desdobramento, sua consciência.

Finalmente, na imediatez da imagem, uma carga de musicalidade se faz sentir, em enunciados metafóricos que atravessam o texto como: "borboletas noivas flutuando em branco véu"; "ela só sabia mesmo era chover"; "bastou vê-lo para torná-lo sua goiabada com queijo". Essas imagens, todas pinçadas no texto, remetem à relação de Macabéa com Olímpico e, analisadas no interior do campo semântico da obra, sofrem forte carga de ironia. Por esse recurso, são alienadas de um suposto viés romântico. Irônica na linguagem, Clarice retira do leitor a possibilidade de uma leitura romanceada, apostando em cheio na dura realidade de um mundo brutal onde a relação afetiva é movida pelo interesse de se dar bem, de encontrar facilidades. Estas, pensa Olímpico, só com Glória, uma vez que tinha consigo que "seu destino era o de subir para um dia entrar no mundo dos outros [...] no morno conforto de quem gasta todo o dinheiro em comida".[22]

22. Lispector, ibidem, p. 83.

CAPÍTULO 6
OS FIOS DA NARRATIVA

> Eu não tenho enredo. Sou inopinadamente
> fragmentária. Sou aos poucos.
>
> Clarice Lispector

Gênero

A hora da estrela tem sido enquadrada pela crítica no gênero romanesco, adjetivado de várias formas: literatura da existência, romance social, romance filosófico, romance lírico, e até mesmo incluído na tendência regionalista do romance. O termo novela foi usado por Gotlib para designar a obra, quando relatou uma entrevista feita a Clarice, na qual também o interlocutor adotou essa nomenclatura sem que a autora o houvesse contestado.[23] Em outro contexto, Gotlib refere-se a Rodrigo como escritor e romancista, o que supõe ser a obra um romance. Adiante, porém, refere-se à lista de títulos da *novela*.[24] Silviano Santiago[25] declara *A hora da estrela* o mais famoso romance de Clarice em vida, advertindo, porém, que a literatura da autora é rio que inaugura seu próprio curso. Esse postulado abre caminho para que Waldman afirme que *A hora da estrela* não se situa estritamente nos cânones novelescos, transgredindo a forma tradicional do romance, consolidada no século passado, na direção de um "exercício existencial". Na mesma oportunidade, Waldman[26] declara que, a par desse viés existencial, a obra aponta para a diluição dos gêneros. Não obstante, no artigo "O estrangeirismo em Clarice Lispector",[27] publicado posteriormente, chama de romance a mesma obra. Finalmente, é de Benedito Nunes a contribuição mais expressiva. Em relação ao gênero, afirma que, na obra em questão, Clarice foge às regras do jogo e arranca a máscara de romancista ao se fazer personagem e agente narrador, o que no jogo romanesco não é regra.[28] Analisa o dilaceramento do romance que conduzirá

23. Gotlib, 1995, p. 458.

24. Idem, Macabéa e as mil pontas de uma estrela. In L. D. Mota; B. Abdala Jr. (orgs.), *Personae*. São Paulo, Senac, 2001, p. 291-314.

25. S. Santiago, A aula inaugural de Clarice. In W. M. Miranda (org.), *Narrativas da modernidade*. Belo Horizonte, Autêntica, 1999, p. 15.

26. Waldman, 1992, p. 101-103.

27. Idem, O estrangeirismo em Clarice Lispector: uma leitura de *A hora da estrela*. In Zilberman et at., 1998, p. 96.

28. Nunes, 1982, p. 34.

a uma concentração da mimésis na experiência interior e à passagem da introspecção ao primeiro plano da narrativa.[29]

Como se depreende do exposto, é problemático enquadrar *A hora da estrela* em qualquer gênero, pela natureza mesma dos gêneros que, por mais esforço que se faça, não conseguem contemplar a natureza fluida e impalpável de obras como a de Clarice. Seria o caso de a teoria avançar na formulação de um novo gênero que a tradição ainda não reconhece, ou deitar por terra o gênero clássico, cujo enquadramento não comporta a irreverência de autores como Clarice? José Guilherme Merquior vem em socorro: "Os gêneros não se antecipam à obra concreta, antes pelo contrário, partem da própria criação literária como fato consumado [...]".[30] Um estudo de *A hora da estrela*, do ponto de vista do gênero, é campo vasto e, por si, mereceria mais uma pesquisa. Aqui, apenas mostrar-se-á em que dificuldades esbarram as tentativas de enquadramento e em que espaço entre a novela e o romance esta obra se movimenta, com qual desses gêneros ela melhor se identifica e com qual antagoniza.

Debruçando-se sobre as teorias que tratam da questão, pode-se facilmente enquadrar *A hora da estrela* como novela, pela economia de elementos, sendo uma obra que não chega a cem páginas. Eikhenbaum[31] define a novela como história de dimensões reduzidas, uma forma fundamental, elementar, cuja filiação provém do conto e da anedota, enquanto o romance provém do relato de viagens, o que lhe confere maior extensão. Desde o período clássico, apontam os historiadores dos gêneros uma tendência geral de se investir na narrativa curta, até como forma de contraposição ao alongamento desmedido do romance. O próprio aceleramento do ritmo imprimido à vida pelo desenvolvimento industrial acaba por criar a necessidade de textos mais curtos, feitos para serem lidos rapidamente. Yves Stallone[32] menciona que a brevidade da forma novelesca é unanimidade, a ponto de se fazer dessa característica o seu principal traço de oposição ao romance. Há mais de dois séculos, diz o mesmo autor, o marquês d'Argens (*Discurso sobre as novelas*, 1739) via no for-

29. Nunes, ibidem, p. 35.

30. J. G. Merquior, Doutrina das formas poéticas e dos gêneros. In G. Lukács, *A teoria do romance*. Trad. José Marques Mariani de Macedo. São Paulo, Duas Cidades/34, 2000, p. 187.

31. B. Eikhenbaum, Sobre a teoria da prosa. In Eikhenbaum et al., *Teoria da literatura* – formalistas russos. Trad. Ana Maria Ribeiro et. al. Porto Alegre, Globo, 1971, p. 163.

32. Y. Stalloni, *Os gêneros literários*. Trad. e notas de Flávia Nascimento. Rio de Janeiro, Difel, 2001, p. 112.

mato breve da novela o principal traço diferenciador entre ambos. Visto por esse prisma e considerada uma obra do porte de *Ulisses*, de James Joyce, por exemplo, *A hora da estrela* poderia ser, como já foi chamada, uma "novela". A questão, entretanto, não se resolve de modo assim tão simples. Seria, aliás, bastante problemático discutir as diferenças, apenas e simplesmente, pela redução extensiva.

Considere-se, então, outro aspecto no exame de *A hora da estrela*. Há uma diferença marcada especialmente pela questão da unidade dramática, que confere à novela uma espécie de globalidade narrativa, permitindo que a leitura seja feita de um fôlego. A construção dramática (unidade de ação) não deixa, afinal, de ser uma exigência necessária à redução extensiva, pois como resolver o impasse da multiplicidade e complexidade de tramas num relato breve? Eikhenbaum[33] considera o romance um gênero inconveniente devido à sua extensão que, não permitindo a leitura de um só fôlego, priva o leitor da visão de conjunto, da imensa força que lhe confere totalidade. Pode-se dizer, assim, de uma aproximação de *A hora da estrela* com as características da novela, no sentido de que pode ser lida de uma tomada.

Outra característica que aproxima a obra ao gênero novelesco diz respeito à sua estruturação que se define com base nas contradições sociais desenhadas por Clarice. São essas contradições que estabelecem a diferença entre a vida de Macabéa, socialmente rejeitada, marginal a todos os bens que constituem a marca do humano, como a linguagem, por exemplo, e a vida de Rodrigo, escritor, mestre da palavra, na outra ponta da escala social. Eikhenbaum[34] define a construção da novela sobre a base de uma contradição, de um erro, de um contraste. E não são suficientemente contrastantes para se firmarem como marcas da trama novelesca essas vidas que na ficção de *A hora da estrela* se confrontam? É importante considerar que a contradição é a mesma categoria que revela o ideológico e, nesse sentido, o caráter contraditório dessa relação desigual entre Macabéa e Rodrigo marca os contrastes necessários para que se vislumbre, pela

33. Eikhenbaum, op. cit., p. 165.

34. Ibidem, p. 162.

organização da trama o propósito de desvelamento da contradição entre classes sociais, constitutiva da sociedade que engendrou *A hora da estrela*.

Uma questão que também deve ser considerada é que, diferentemente do romance, nessa obra, o ponto culminante da narrativa está anunciado desde o início da trama. Visivelmente, Macabéa nasceu do nada para morrer. Sem raiz, um cogumelo, causa o tempo todo a impressão de que não terá forças para sobreviver. É como se tivesse sido concebida para sucumbir. Os índices anunciadores da morte da personagem já estão dados no tom fúnebre da oferta da obra, "essa coisa aí"; na seleção dos títulos; na dor que percorre o texto; no sentimento de culpa e nos esforços de se redimir perante o leitor que, por vezes, assola Rodrigo por ser sua, verdadeiramente, a mão do destino que põe fim à vida de Macabéa. E lembrar que Clarice afirma a trama como "registro dos fatos antecedentes", o que conduz o leitor a deduzir que o grande momento está por vir. Em Eikhenbaum, tudo na novela, assim como na anedota, tende para a conclusão e a ela deve arremessar-se com impetuosidade, tal como um projétil jogado de um avião, para atingir todas as forças do objetivo visado. Assim o autor define a novela: "Dimensões reduzidas e destaque dado à conclusão".[35] Por esse prisma, *A hora da estrela* parece bem ficar a um passo a mais da novela e um a menos do romance, identificando-se mais com o primeiro.

Waldman[36] vislumbra na obra três relatos. Já Gotlib[37] a secciona em cinco narrativas. Benedito Nunes[38] também diz que ela comporta três histórias diferentes. Esses olhares sobre *A hora da estrela* evidenciam a dificuldade em se lidar com o conceito de unidade numa trama tão inusitada, mas, por outro lado, demonstram como essa trama transgride o estabelecido. Essa questão será abordada ainda neste capítulo mais detalhadamente. Aqui, importa constatar que, ao se considerar essa multiplicidade de núcleos episódicos, a unidade dramática própria da novela fica comprometida pela novidade da trama.

35. Eikhenbaum, ibidem, p. 162.

36. Waldman, 1992, p. 92.

37. Gotlib, 2001, p. 286-317.

38. Nunes, 1982, p. 33.

Parece, pois, que, por essa sua característica de relatos interativos e, ainda, atribuindo valor maior a essa característica do que à extensão, *A hora da estrela* fica mais próxima, agora, das obras de cunho romanesco. Além do que, a montagem de relatos superpostos, no sentido da experimentação formal que Clarice realiza em *A hora da estrela*, costuma ser associada a uma ruptura com o romance, na sua forma clássica, o que lhe confere um lugar de destaque na literatura moderna:

> Clarice ganha uma posição mais do que intercalar ao longo da linha da modernidade do romance brasileiro. Considerada a trajetória que ela perfez, do perspectivismo da consciência ao texto de consciência descentrada, trata-se de uma posição extrema do moderno. Talvez possa se afirmar que ela é que forma o último elo da cadeia de matrizes componentes da tradição moderna de nosso romance.[39]

Essa tendência de romper com o padrão clássico, que vem sendo gestada desde o último quartel do século XIX, acabou por abrir o espaço para o que hoje se chama de literatura da existência. Henry James escreve *A arte da ficção,* em 1884, momento em que na Europa o romance começa a vivenciar as metamorfoses que o transformariam no século XX na negação do modelo realista. No calor do debate, além das questões adstritas ao romance inglês, o ensaio aponta para algumas das características possíveis de serem vislumbradas na trajetória do romance realista à literatura da existência, por exemplo, o toque impressionista emprestado à pintura e o rompimento das amarras da linha, da forma e do tom realistas. Definindo o romance como impressão direta e pessoal da vida, o autor alia a um "senso de realidade" a liberdade formal, afirmando que a medida do real, por difícil de fixar, deve ser colorida pela visão do autor cuja mente imaginativa leva para si mesma os tênues vestígios da vida e os converte em revelações, ao invés de propô-las a partir de uma forma preestabelecida. Já aí atribui uma nova dimensão às "leis de

39. Ibidem, p. 59.

harmonia, perspectiva e proporção".[40] Essas leis seriam detectadas, posteriormente, como a gênese do suporte teórico que sustenta a epifania, recurso apontado de forma recorrente pela crítica na produção de Clarice Lispector. *A hora da estrela*, para usar uma expressão do crítico, tem o odor da realidade, mas filtrada pelas impressões da autora e pela liberdade formal.

É possível captar o tom impressionista não só por meio dos *flashs* reveladores da interioridade da autora, como também ela explicitamente os revela, no percurso da obra, como um exercício afirmativo dessa filiação, como quando diz na primeira página que "a verdade é sempre um contato interior inexplicável" e reafirma o dito na página 80; ou quando afirma que "o que eu vou escrever já deve estar na certa de algum modo escrito em mim. Tenho é que me copiar com uma delicadeza de borboleta branca";[41] ou, ainda quando indaga: "Será que o meu ofício doloroso é o de adivinhar na carne a verdade que ninguém quer enxergar?"[42] Por outro lado, é do interior de suas personagens, incluso aqui o narrador, Rodrigo, que emanam as contradições do seu mundo e das suas relações exteriores, na ficção, como se verá no capítulo dedicado às personagens. A fim de perseguir essa tradição, parece mais lógico aproximar *A hora da estrela* do gênero romanesco do que da novela, entendendo sua estruturação como a evolução do romance, a nuance que ele adquire diante das transformações históricas que acabaram por imprimir-lhe essa nova arquitetura. O que James vislumbra no século XIX, quase como uma tendência, é amadurecido pelo olhar rigoroso de Benedito Nunes, um século depois, como realidade da ficção:

> Por mais que se desligue da história, o romance interioriza as carências, as projeções utópicas e os dilemas da sociedade moderna racionalizada. E quando, aumentando a carga conflitiva dos dilemas, o romance passa a exprimir a consciência dilacerada e a falta de integridade da existência humana, a sua estrutura se dilacera e se transforma.[43]

40. H. James, *A arte da ficção*. Trad. Daniel Piza. São Paulo, Imaginário, 1995, p. 28.

41. Lispector, op. cit., p. 20.

42. Ibidem, p. 57.

43. Nunes, 1982, p. 35.

O autor[44] entende que *A hora da estrela* atingiu um limite extremo desse estado da ficção contemporânea como termo da revolução romanesca operada no século XX, quando a concentração da mimésis na experiência interior provoca a passagem da introspecção ao primeiro plano da narrativa, cabendo a denominação de romance a uma forma narrativa historicamente datada, num período em que a carga conflitiva da sociedade moderna racionalizada ainda não se houvera exacerbado a ponto de provocar uma literatura que exprimisse aquela consciência dilacerada e a falta de integridade da existência humana, como citado anteriormente.

Tomas Mann[45] afirma a interiorização como princípio que marcou o romance desde seus primórdios, apoiado em Schopenhauer, para quem um romance será tanto mais elevado e mais nobre quanto mais vida íntima e menos externa apresentar. E não é sobre uma estreita base exterior que se movimenta o rico, amplo e complexo mundo interior de Rodrigo e de Macabéa? Levado esse princípio às últimas conseqüências, estaria ele na base da chamada literatura da existência de que *A hora da estrela* é uma expressão? Essas questões são apontadas como complicadores para a definição do gênero da obra em questão, embora elas conduzam a uma lógica aproximativa com o gênero romanesco. É preciso, porém, guardar as distâncias necessárias para preservar a obra de qualquer arbitrariedade, mas evitando a desconsideração total do universo dos gêneros, para efeito de não lhe conferir uma soltura e uma largueza tais que, isto sim, seria problemático. *A hora da estrela* roça os dois gêneros, mas não contém em si todas as medidas necessárias para ser enquadrada em nenhum deles.

Outro componente tem implicações na natureza do gênero da obra em questão, se o intento é o de captar por meio dela o enfrentamento ideológico, e também diz respeito à relação da ficção romanesca com a sociedade que a engendrou, dada pela tensão entre o escritor e a sociedade. Na abordagem do romance, George Lukács autor de filiação marxista, é incisivo em afirmá-lo como a epopéia burguesa.[46] Para Lukács, a

44. Ibidem, p. 34-35.

45. T. Mann, *Ensaios.* Seleção de Anatol de Rosenfeld. São Paulo, Perspectiva, 1987, p. 18-19.

46. Lukács, 2000, p. 55.

epopéia clássica expressa a unidade existente entre homem e mundo, que marca a civilização grega. E é poeticamente que ele traduz essa unidade abrindo o primeiro capítulo de sua *Teoria do romance*: "O mundo (a Grécia de Homero) é vasto e, no entanto, é como a própria casa, pois o fogo que arde na alma é da mesma essência que as estrelas". Entende-se que esse postulado unitário decorre dos desdobramentos e das mediações com que a arte alude a uma relação mais direta entre o homem e a natureza, num momento em que a tecnologia não houvera se desenvolvido o suficiente para que as mediações entre o homem e o mundo se tornassem mais complexas. Nessa mesma linha de raciocínio, Lukács define o romance como a epopéia de uma era para a qual a totalidade extensiva da vida não é mais dada de modo evidente, para a qual a imanência do sentido à vida tornou-se problemática, mas que ainda assim tem por intenção a totalidade.[47] Toma-se de sua teoria a natureza problemática atribuída ao romance, porque o mundo que o engendrou, o capitalismo, é de natureza problemática, devido ao descompasso entre o homem e a natureza, que o avanço tecnológico provocou. O homem moderno, por meio da industrialização, promove o seu distanciamento das forças da natureza e, por esse modo de ser, não mais se reconhece nos produtos do seu trabalho. Ao inventar a produtividade material, engendra com ela a produtividade do espírito, rompendo a circularidade fechada do mundo grego:

> Nosso mundo tornou-se infinitamente grande e, em cada recanto, mais rico em dádivas e perigos que o grego, mas essa riqueza suprime o sentido positivo e depositário de suas vidas: a totalidade.[48]

Esta cisão entre o homem e o mundo representa-se pela ausência de uma consciência do homem sobre seu ser e seu estar no mundo. E o que é Macabéa senão a expressão construída do ser no seu estado primário de não consciência?

Quando Lukács concebe o mundo grego como uma totalidade que põe diante do homem um longo caminho, mas dentro

47. Lukács, ibidem, p. 55.

48. Ibidem, p. 31.

dele nenhum abismo, supondo, ainda, a forma épica como expressão desse mundo e dessa relação, concorda-se com isso; também há concordância com o autor quando ele vê na produtividade do mundo moderno as condições para a perda da unidade homem/mundo e, por essa via, confere ao romance seu caráter problemático. Há, porém, um complicador nessa questão. É quando pensa o autor na possibilidade de, superadas essas condições sociais modernas, se restaurar aquela unidade e, com ela, voltar-se a uma forma ideal que, supostamente, já estaria dada no início da humanidade. A esse respeito, comenta Fehér:

> O romance (em Lukács) é problemático: este enunciado significa que, na história, existe uma medida do não problemático e que esta se origina – mesmo no caso de uma aspiração utópica – do passado.[49]

Se é problemática a sociedade capitalista, e isto é inegável, pela mercantilização do homem, no sentido de que o seu valor é dado pela sua capacidade produtiva, nenhuma garantia há de que um novo tipo de sociedade que possa ser engendrado pela história promova uma unidade harmônica entre o mundo e o homem, como resultado da liquidação da alienação, como postula Lukács. A alienação, ou estranhamento da personagem Macabéa, no sentido da ausência de uma consciência sobre si mesma, no que respeita ao seu estar no mundo, seus papéis sociais, traduz a marca do homem na sociedade contemporânea e evidencia a natureza mercadorizada dessa personagem. A desrealização do humano, ou seja, a redução do homem à condição de mercadoria, tem sido um sinete da sociedade construída pela burguesia, menos pelo modo de organização do trabalho, que por suposto provocaria o estranhamento, e muito mais pelo caráter privado dos produtos do trabalho humano, dos bens materiais e espirituais, a que um enorme contingente humano não tem acesso, quando as condições materiais de acesso já estão dadas.

Refazendo em outra medida o modelo teórico de Lukács, Fehér propõe, ao invés de romance problemático, o ambivalen-

49. F. Fehér, *O romance está morrendo?* Trad. Eduardo Lima. Rio de Janeiro, Paz e Terra, 1997, p. 33.

te, no sentido de que esse gênero moderno expressaria, por um lado, o capitalismo e, por outro, todas as sociedades do tipo "sociais", nomenclatura que ele utiliza em contraposição a outro tipo de sociedade, a "natural", como a da Grécia antiga. É de se perguntar qual outra sociedade "social" estaria desenvolvida no mundo além do capitalismo. De modo que ambos os autores contêm problemas em suas teorias. Lukács, com a utopia de uma sociedade que possa dirimir a alienação; Fehér, com uma sociedade social além do capitalismo, o que, de uma forma ou de outra , acaba igualando suas teorias no ponto de chegada.

Para Fehér, as formas fragmentárias das narrativas representam a transcendência do romance tipicamente burguês, no seu "esforço para desagregar a forma artística original [...] para substituí-la por uma outra que convenha melhor aos aspectos – presumíveis ou efetivos – da emancipação humana".[50] Lukács, na opinião de Fehér, entende as formas fragmentárias que a narrativa assume em fins do século XIX, como formas degradadas do romance clássico, tornando cada vez menos possível sua realização num nível mais elevado, mais rico em valores. E nas palavras do próprio Lukács, a impossibilidade de as formas expressarem uma totalidade impele-nas a estreitar ou volatilizar aquilo que configuram ou a demonstrar polemicamente a impossibilidade de realizar seu objeto necessário introduzindo assim no mundo das formas a fragmentariedade do mundo.[51]

Desses postulados, mais alguns pontos podem contribuir com a reflexão. O primeiro é que o romance clássico constitui, efetivamente, a forma literária burguesa por excelência no sentido de que a estruturação formal versificada própria da epopéia, que lhe conferia a cadência exigida pelo caráter harmônico do mundo que representava, é substituída pela prosa informe e prosaica ainda que dotada de certa linearidade, que sugere à forma romanesca a desarmonia do mundo burguês; e mais, o caráter prosaico do romance clássico, tanto no sentido do rompimento com a forma versificada do poema épico quanto na trivialidade que marca sua prosa e confere-lhe natureza romanesca, é representação das formas sociais que o

50. Fehér, ibidem, p. 38.

51. Lukács, op. cit., p. 36.

engendra. Ambivalente ou problemática, a sociedade moderna está expressa, formalmente, no romance clássico, pelo seu caráter representativo. É Fehér quem afirma:

> Toda a "informidade", todo o caráter prosaico do romance apresenta aproximadamente uma correspondência estrutural com uma disformidade do progresso caótico, no seio do qual a sociedade burguesa aniquilou as primeiras ilhas de realização da substância humana, trazendo consigo o desenvolvimento infinitamente desigual das forças inerentes.[52]

Outro ponto é que esse gênero, ao ver negado o seu caráter linear pelas formas fragmentárias que marcam as obras do século XX, inclusa aqui *A hora da estrela*, não perde essa característica de revelar pelo fragmento formal o fragmentário do mundo. A mesma "informidade" caracteriza a obra, aliás, de modo exacerbado, porque aprofundadas estão, nesse século, as contradições sociais.

Finalmente, atente-se ainda para o fato de que, na literatura grega, o homem é marcado pela inevitabilidade do seu destino, presente tanto nas tragédias gregas – é o caso de Édipo rei – como na própria epopéia, onde são os deuses que decidem a sorte de Ulisses. Sua viagem de volta a Ítaca é significativa da subsunção do homem à natureza, expressa pela simbologia do Olimpo. Em *A hora da estrela*, a mesma subsunção ao destino leva Macabéa a capitular diante da vida. Essa é uma questão importante que será desenvolvida a seu tempo.

No momento importa afiançar que as diferenças que levam Macabéa e os heróis, não só da epopéia, mas da tragédia, a se dobrarem perante as forças de um destino imposto, estão ligadas à natureza da sociedade grega e da moderna. São, portanto, diferentes em sua essência, o que bastaria, em si, para comprovar um caráter representativo na obra literária. Tanto na epopéia quanto no romance, por intricadas mediações estéticas que particularizam essas duas formas ficcionais, a relação homem/mundo está presente e é por essa relação que as ideologias se estabelecem, marcando o igual e o contraditório. Na

52. Fehér, ibidem, p. 36.

subsunção do homem a um destino preestabelecido, que tem de ser cumprido, tanto para Édipo como para Macabéa, as condições materiais que engendraram essas narrativas é que estabelecem as bases ideológicas da subsunção. Significa dizer que, por maior que seja o grau de interiorização e mais estreita a base exterior em que se assenta a narrativa moderna, como afirmou Mann, apoiando-se em Schopenhauer, por mais filtrada que seja a realidade pelas impressões subjetivas, não se pode desconsiderá-la, ainda mais quando as contradições acirram-se a tal ponto que o escritor em sua subjetividade não pode passar ao largo, como é o caso das condições particulares brasileiras em que *A hora da estrela* foi produzida. Como já se demonstrou, a obra toma corpo em pleno vigor das forças sociais do capitalismo no Brasil, em um momento profundamente problemático.

Thomas Mann, em *A arte do romance*, aponta que, para além de uma possível diferença de ordem "teórico estética" entre epopéia e romance, o espírito épico seria o ponto de unidade entre esses dois gêneros. Afirma o autor, referindo-se a Tolstói:

> É um dos casos que nos levam à tentação de inverter a relação defendida pela estética escolar entre o romance e a epopéia, e de não considerar o romance uma forma decadente da epopéia, mas sim de ver na epopéia uma pré-forma primitiva do romance.[53]

A tentação aqui é a de, analisando *A hora da estrela* pela construção de Macabéa, vislumbrar, em certa medida, o espírito épico de um momento da sociedade do capital. Um épico às avessas, pela negação do herói, o malefício ao invés da virtude, a negação do oráculo ironizado pela cartomancia. Afinal, como já se afirmou, Macabéa sintetiza, de certa forma, a história de todos nós.

Desconstrução narrativa

53. Mann, op. cit., p. 17.

Na impossibilidade de fixar um gênero para *A hora da estrela*, e considerando-se a intenção narrativa anunciada, de uma "história exterior e explícita", resta a análise formal do texto pela desconstrução como forma de construção, técnica fartamente utilizada para exprimir, no século XX, a modernidade narrativa, a que já se aludiu no capítulo anterior.

No Brasil, a falência da narrativa oitocentista foi identificada primeiramente por Schwarz,[54] que observa um golpe de morte na passagem do modo narrativo oitocentista para o modo existencial moderno, quando fala da obra de Clarice, *Perto do coração selvagem*. No projeto estético do século XIX, de que a literatura brasileira naturalista é caudatária, a trama constrói-se por relatos de acontecimentos que, encadeados, fazem a vez da história pela colagem mimética do literário com os fatos "acontecidos" e é por esse caminho que realizam uma literatura de consentimento. O projeto estético do naturalismo, como bem mostrou Flora Süssekind,[55] no mais das vezes trouxe incrustado um projeto ideológico de manutenção do estado social vigente, referendando o império do idêntico e da nacionalidade e raramente realizando a diferença e o corte necessários para expor as contradições em que a sociedade brasileira se debateu desde a sua colonização.

Clarice vem na esteira daqueles que corajosamente definem outro padrão estético, o que se vai chamar de narrativa da existência. Como já se demonstrou anteriormente, parte da crítica assim classifica sua obra e parece que essa é uma boa alternativa classificatória, dadas as dificuldades de enquadramento da obra em um gênero específico. Com uma linguagem feita de rupturas, tensões, desvios e fragmentos, ela adere a um projeto estético mais amplo e, assim, reafirma uma proposta já anunciada por predecessores como Joyce, Proust e Woolf[56] e, para não deixar de lado a literatura brasileira, Machado de Assis. Ao romper com o velho modelo narrativo oitocentista, Clarice passa ao largo de suas armadilhas colonialistas, nacionalistas, escravistas, republicanas.

A crítica sobre Clarice é sobeja ao apontar-lhe a transgressão ao modelo narrativo tradicional, na recusa de uma trama convencional com início, meio e fim, por onde opera a desconstrução. Em vez da linearidade, diz Waldman, a autora oferece a

54. R. Schwarz, *A sereia e o desconfiado* (ensaios críticos). Rio de Janeiro Paz e Terra, 1981, p. 53.

55. F. Süssekind, *Tal Brasil, qual romance?* Uma ideologia estética e sua história: o naturalismo. Rio de Janeiro, Achiamé, 1984.

56. Nunes, 1982, p. 34.

descontinuidade.[57] Os episódios soltos da trama novelesca interagem por acúmulo e insistência,[58] diz Silviano Santiago, analisando o conjunto da obra de Clarice. Roberto Schwarz, em 1954, atribuiu à romancista o anseio de escrever um livro "estrelado" em que os momentos, brilhando lado a lado, sem articulação cerrada, poderiam levar ao caos a estrutura do livro, não fosse esse um princípio de composição positivo, em ficção.[59] E, ainda, Álvaro Lins, aludindo à estranheza do mundo ficcional de Clarice, assinala as "deficiências" dos processos simbolistas utilizados em suas obras, como se a escritora apelasse para os recursos da poesia ao lhe faltarem os da estrutura romanesca.[60] Waldman[61] chamou de superposição de relatos, que se multiplicam em três, o artifício narrativo com que Clarice deslinda a trama: o relato sobre a nordestina, que se resume nas fracas aventuras de uma alagoana no Rio de Janeiro, uma cidade toda feita contra ela; o do narrador, Rodrigo S. M. (Clarice mesma), que incessantemente vai repondo a cada entrecho suas "dificuldades" em dar corpo à narrativa e acaba por contar sua própria história e, ainda, a metanarrativa que situa os leitores diante dos impasses dessa narrativa particular (de Rodrigo) e da narrativa contemporânea, de modo geral.

Benedito Nunes,[62] experiente estudioso da obra de Clarice, em texto datado de 1981, entende que a narrativa comporta três histórias e dois narradores geminados, um postiço, Rodrigo, que se apresenta como o autor do livro, e o outro, Clarice, a verdadeira autora. A primeira história é a da vida de uma moça nordestina que Rodrigo S. M. propõe-se a contar; a segunda história é a do próprio Rodrigo, dos seus embaraços, cuidados e sentimentos que a personagem lhe inspira; e a terceira história, a da própria narrativa.

Gotlib[63] faz outra leitura. Consegue seccionar o enredo em cinco histórias: a primeira, uma história de Macabéa, entrevista a partir dos poucos dados biográficos com que Clarice dá ao leitor conhecer a personagem que, no entanto, não é apenas o resultado da soma e da seqüência dos fatos, mas produto do seu narrador: "O que faz o romance não é bem o que acontece, mas o que circunda este acontecer [...]".[64] Rodrigo faz parte da

---

57. Waldman, 1992, p. 32.

58. Santiago, 1999, p. 18.

59. Schwarz, op. cit., p. 55.

60. Apud Olga de Sá, *A escritura de Clarice Lispector*. 2. ed. Petrópolis, Vozes, 1979, p. 164.

61. Waldman, 1992, p. 92.

62. Nunes, 1982, p. 33-34.

63. Gotlib, 2001, p. 285-317.

64. Ibidem, p. 287.

história e, em certa medida, ao dividir com o leitor a construção interna da personagem atribui-lhe outra existência, menos produto factual e mais projeção dele, que existe como parte dele e em função dele. A segunda história, paralela à da personagem, seria a história de como o romance se faz. Gotlib chama de "parto ficcional" a forma como se dá o invento de uma ficção como a de Clarice, exposto ao leitor. A terceira história dirá respeito à relação de Rodrigo com Macabéa, como Macabéa o atinge, como forma primária de vida, gerando-lhe um sentimento de culpa e uma responsabilidade que quer dividir com o leitor, atribuindo-lhe uma missão e tornando-o cúmplice daquele destino. A quarta história será, para Gotlib, a da relação entre a personagem e Clarice, que acaba presente na obra pelas inevitáveis associações entre os dados biográficos da autora e de suas personagens, Macabéa e Rodrigo.[65] Finalmente, a quinta história diz respeito à recepção da obra, de como são inglórias as tentativas de tocá-la, agarrá-la e preencher os sentidos dessa vida construída, objeto para ser tocado, mas intocável.

Não parece se tratar de três relatos, nem de cinco, mas de dois: no primeiro, Rodrigo atém-se à história de Macabéa e, no segundo, aos seus conflitos perante a narrativa moderna, à relação do escritor com sua personagem, com o ato narrativo moderno, com o leitor, consigo mesmo. A primeira história é externa e explícita, como diz Clarice, e anunciada como cadeia de acontecimentos lineares. Com esforço, entretanto, é que o leitor consegue juntar os fios e entrever uma história, a de Macabéa, fingidamente mal alinhavada. Macabéa sai do nada, não tem passado, ao contrário do que se esperaria do gênero romanesco. Não tem futuro. No "adiamento" da história, no desfecho hiperampliado, na exaltação da personagem em detrimento da trama, na interrupção insistente do narrador na trama, faz-se a negação da narrativa linear. A outra história é, de certa forma, autobiográfica, por isso interna, eivada da subjetividade do narrador, de seus conflitos ficcionais que, de algum modo, remetem à rica e complexa existência de Clarice. Nesse sentido, é possível afirmar que a obra expressa a síntese dialética entre o desconstruído

65. Ibidem, p. 314.

romanesco e a nova construção chamada existencial, ou poemática, ou até filosófica, entre a trama linear de acontecimentos e a literatura da existência, marcada pela concentração da mimésis na experiência interior. É importante ressaltar que este outro olhar lançado sobre a mesma questão não tem a pretensão de invalidar os olhares antecedentes. Apenas confirma a densidade da questão e acena para a complexidade da trama.

Em *A hora da estrela*, o existencialismo de Clarice, que já se demonstrou anteriormente, está ligado a esse projeto ideológico que aponta vigorosamente para a redução do homem. A desconstrução narrativa, decantada por vários críticos, como já se expôs, bem como o esforço de outros tantos para desamarrar os múltiplos fios narrativos que atam a trama, demonstra como a escritura do fragmento é oportuna para sobrelevar a personagem e seu destino, como o fragmentário pode ser o mote para que Macabéa seja elevada à categoria de personagem-texto, como será discutido no capítulo que trata das personagens. Ainda que paradoxalmente finja, no sentido pessoano, o esforço de construir uma narrativa com "começo, meio e *gran finale*", Clarice nega decididamente esse propósito. Mesmo pretendendo ser exterior e explícita, a narrativa sucumbe, no seu veio oitocentista, quer pelas "dificuldades" do relato particular com que a autora forja a antinarrativa própria de seu tempo, quer pela força da personagem-texto que destrói sua dimensão episódica de história feita por acontecimentos. Na negação é que delineia o projeto contra-hegemônico, quando abre fissuras no tecido escritural por onde espreita o homem em sua dimensão mais problemática.

Kadota[66] afirma que neste modo de operar a linguagem tece-se uma teia verbal com os mesmos fios de ontem, dispostos em uma geometria outra, cujo entrelaçamento resulta em *design* da atualidade. A representação mimética do mundo, própria do século XIX, dilui-se na trans-figuração do mundo. Poder-se-ia dizer, a partir desse olhar de Kadota, em *A hora da estrela*, de uma representação tão bem media-

66. Kadota, 1997, p. 27.

da, com recursos estéticos tão refinados, que lhe confere uma opacidade capaz de distanciá-la completamente da representação mimética. Ainda assim, é o real que nos espreita, são as vozes de uma sociedade problemática que ecoam quando, pela ausência de condições materiais, reduz-se o grau de consciência das pessoas, tornando o homem a negação do humano. A obra também remete, por essa característica, a um momento datado na história do Brasil, quando a ideologia construiu um discurso sobre o homem, que oculta o desumano e as condições que o engendram. Assim, por meio da demolição de velhas formas literárias, formula-se outro projeto estético em que, como na obra em questão, o ideológico é dado e afirmado nas contradições instauradas pela própria engenharia do texto trabalhada arduamente pela autora:

> [...] Não sei se tenho trabalhado: meu trabalho não tem aparecido. Acho que ele consiste na maior parte do tempo em me vencer. Em vencer meu cansaço e minha impotência. Acho que meu trabalho de elaboração é tão exaustivo que eu depois não tenho o ímpeto e a força de realização. É um trabalho acima de minhas forças [...].[67]

Esse depoimento pode ser atribuído à natureza interior rica, complexa e angustiada de Clarice, nunca à dificuldade de manejo lingüístico. Pode, porém, estar ligado à natureza do trabalho que ela se impôs, isto é, romper com o cânone narrativo e, por essa via, dar vazão ao seu projeto de chamar a atenção do leitor para a contradição reveladora de uma concepção de homem e de mundo projetada em Macabéa.

Envolvida nessas fingidas dificuldades interiores, Clarice vai "adiando a pobreza da história", como ela mesma afirma. Apenas à página 39, a suposta narrativa começa a ganhar corpo, pela personagem, um corpo feito de palavras, não de acontecimentos, que estes, já se afirmou, são próprios da narrativa clássica: "Vou agora começar pelo meio dizendo que – ela era meio incompetente". O enredo, anunciado como "uma

67. Depoimento de Clarice Lispector a Olga Borelli. In Waldman, 1992, p. 36.

história com começo, meio e *gran finale* seguida de silêncio e chuva caindo",[68] não se realiza. Ao armar a trama a partir de personagens que se intercruzam, incluindo a própria autora, ao se fazer personagem masculina, de rosto indefinido, invadindo a história repetidas vezes, interrompendo a trama para anunciar a dificuldade de definir o enredo, Clarice dificulta ao leitor o olhar mimético. Este cede lugar a um outro, que precisa ser novo para poder enxergar, nessa re-engenharia textual, o mundo anunciado e, no centro, o homem, que escapa como coalhada entre os dedos da mente, se o intento é apreender sua natureza com a lógica daquele olhar.

A questão da mimésis, já presente na *Arte Poética*,[69] é indicador seguro da necessidade que o homem teve, desde o mundo antigo, de pontuar a relação entre a arte e a vida. Não obstante as numerosas interpretações dadas pela modernidade ao conceito de mimésis, que vão desde a reprodução mecânica até a transfiguração mediada, hoje já se tem uma consciência de que os prejuízos da indevida apropriação que a história fez de Aristóteles e as imprecisões e alterações provocadas pelas diversas traduções do grego acabaram por mutilar a sua obra de maneira vigorosa. Constitui um problema insolúvel entender mimésis na vertente do Aristóteles grego, senão por uma nova categoria forjada pela atualidade e que só para esta serve. A categoria da representação é a sucedânea moderna da mimésis, mais utilizada para exprimir no mundo contemporâneo a relação entre a arte e o mundo, porque expressa a perspectiva do sujeito individual.

Parece, no entanto, que se é problema metodológico dos mais relevantes essa indevida extensão da perspectiva do indivíduo para a Grécia, maior problemática é tomar, para efeito de análise, a obra literária como produto da subjetividade pura, com a justificativa de que na modernidade a relação entre a arte e a vida se expressa na perspectiva do sujeito individual, obliterando, assim, sua dimensão ideológica e, portanto, social. Na re-significação dada ao termo pela fenomenologia, campo teórico onde toma corpo e tran-

68. Lispector, op. cit., p. 27.

69. Aristóteles, *Arte retórica e arte poética*. Trad. Antonio Pinto de Carvalho. Rio de Janeiro, Tecnoprint, s.d.

sita essa categoria, substitui-se o olhar de Aristóteles pelo olhar de cada homem contemporâneo.

A idéia de que o homem possui livre-arbítrio,[70] princípio da concepção do homem moderno, sugere que suas possibilidades de escolha definem-se por sua vontade e, portanto, estão dadas historicamente as premissas de construção da subjetividade. O indivíduo, entretanto, é um ser atravessado por circunstâncias sociais, de forma tal que sua subjetividade está contaminada pelo tempo em que vive e atua no mundo. Assim, é pela subjetividade objetivada de Clarice que se delineia o projeto estético de *A hora da estrela*, por meio do qual ela explicita as contradições de um Brasil marcado por desigualdades de toda ordem. Diferenciada das outras obras da autora, nas quais o projeto estético parece esmaecer o ideológico, nesta o desenho da sociedade torna-se mais nítido.

Barthes aponta que a função utópica da literatura reside na sua força de representação, muito embora afirme: "O real não é representável".[71] E não é representável pois constitui o emaranhado de forças sociais, a teia de relações, um movimento de muito difícil apreensão. No entanto, a mesma mobilidade e fluidez do mundo residem na linguagem literária, com suas possibilidades metafóricas, seus desvios, rompimentos, especialmente pela liberdade que o século XX lhe outorgou. Em última instância, o que importa é, por ela, compreender o homem e compreendê-lo radicalmente. Radicalizar significa apreender na obra o próprio homem, isto é, o ser social na teia de relações em que se movimenta e produz a vida."Ser radical é agarrar as coisas pela raiz e a raiz para o homem é o próprio homem".[72]

O mundo que se forja na obra, o real ficcional, é a representação de uma necessidade inconsciente e de uma consciência de linguagem que, uma vez atingido o leitor, opera na recriação de outros mundos. Assim, a obra clássica é aquela que sempre terá algo a dizer, porque ela atinge as camadas mais profundas da nossa sensibilidade, atuando na esfera de nossas emoções e do nosso intelecto e atingindo as zonas de nossas paixões. Assim é vista *A hora da estrela*.

70. G. Picco Della Mirandola, *A dignidade do homem*. Trad. Luiz Feracine. 2. ed. Campo Grande, Uniderp/Só Livros, 1999.

71. R. Barthes, *Aula*. Trad. Leyla Perrone-Moisés. 6. ed. São Paulo, Cultrix, 1997, p. 22.

72. K. Marx, Manuscritos econômicos filosoficos de 1844. In *Obras filosoficas escogidas*. Bogotá, Pluma, 1980, p. 8.

O tempo e a hora da estrela

A negação da tradição romanesca por determinado modelo narrativo coloca-se num complexo desconstrutivo que impõe a definição de novos fios condutores à obra ficcional, diluindo o acontecimento em favor da introspecção e, por conseqüência, redimensionando a temporalidade narrativa. A linearidade, que na trama de acontecimentos é construída por determinada concepção de tempo a qual seqüencializa a série dos acontecimentos, cede lugar a nova formatação em que o tempo opera por outros recursos estéticos.

O conceito de construção do tempo por fluxos de consciência é a forma recorrente de tratamento da crítica a essa formatação temporal presente nas narrativas desconstruídas, e em especial na obra de Clarice, onde o momento epifânico, o instante, o *flash* são recursos amplamente utilizados. Essa questão, no entanto, foi pouco explorada pela crítica em *A hora da estrela*, embora aí o tempo se realize em horizontalidades e verticalidades, ou seja, ambas as modalidades de tempo alternam-se no processo de desconstrução narrativa. Maria Elisa de Oliveira é quem faz um estudo específico sobre o tempo em Clarice e o faz tomando como referência a totalidade da sua obra.

Oliveira percorreu o caminho do conceito tal como ele evoluiu no interior da fenomenologia. No seu estudo, apoiou-se em autores que tratam do tempo como expressão da subjetividade. Numa retrospectiva filosófica, rastreia a tradição conceitual desde Santo Agostinho até chegar à concepção de instante, em Bachelard. Aponta em Santo Agostinho a noção de tempo como distensão da alma; em Paul Ricoeur, a solução psicológica conferida ao tempo; em Bergson, a concepção evolucionista de tempo, na qual a duração processa-se por continuidade. Esta idéia é contestada por Bachelard que define o tempo como dado imediato da consciência, fluxos marcados por descontinuidades. É com base nos estudos desse último e a partir da "filosofia do instante", de Gilda de Mello e Souza, que Oliveira faz uma abordagem fenomenológica do "instante poético", como aquele capaz de elevar o ser acima da realidade trivial e do vivido cotidiano. Segundo esse estudo de Oliveira, existe em Clarice uma intuição temporal que coincide em muitos aspectos com a de Bachelard, quando opõe à *durée* de Bergson a noção do tempo vertical que assinala o instante poético. Em Clarice, afirma Oliveira, nota-se um anseio em deter o curso desse tempo comum que corre como as águas do rio: horizontalmente.[73]

Essa visada fenomenológica contribuiu com este trabalho numa aproximação à categoria tempo. No entanto, interessa ir além, mostrando como o conceito em Santo Agostinho evolui quando a concepção de tempo, com a burguesia, transmigra de um sistema ideológico para outro, ou seja, quando uma outra subjetividade lida com a mesma questão.

A concepção agostiniana de tempo é redimensionada pela burguesia, em função de que uma nova relação se estabelece entre o homem e a natureza. Não há como negar que o tempo tem forte componente de subjetividade. A questão é como essa subjetividade relaciona-se com a objetividade histórica, ou seja, como a produção da vida material interfere e altera a percepção do tempo medieval quando, na modernidade, a manufatura e depois a indústria imprimem novo ritmo à produção. O homem, então, tem que se haver para adaptar-se ao ritmo imposto pela produção manufatureira e, depois, pela industrial. O tempo passa a ser considerado não pela medida da contemplação, mas pelo ritmo dos teares. O ócio feudal, que conferia uma visão contemplativa ao mundo, permitiu a Agostinho conceber o tempo no ritmo de sua contemplação. É um mundo onde a realização econômica da vida, tendo sido resolvida pelo servo, confere à nobreza e ao clero uma noção de tempo ritmada pela lentidão que a eternidade sugere. A vida como que se arrasta entre orações, de um lado, e saraus, de outro.

O tempo em Santo Agostinho é definido no contraponto do não tempo, isto é, da eternidade, categoria caríssima à Teologia. É, na verdade, um esforço de conciliação entre o homem, terreno, finito no tempo, e sua dimensão eterna. A

73. M. E. Oliveira, *O instante-tempo nos romances de Clarice Lispector*. Dissertação (Mestrado). PUC, São Paulo, 1991, p. 72.

eternidade é temporalizada. Diz o santo que o eterno é sempre o presente. Na eternidade nada passa, e o cotidiano é um perpétuo hoje.[74] Para justificar sua posição, por meio de um intricado exercício mental decompõe o tempo em lembranças presentes das coisas passadas, visão presente das coisas presentes e esperança presente das coisas futuras. Assim, o conceito acaba por adquirir forte carga de subjetividade que oblitera a materialidade do conceito, e o tempo é convertido em impressão, aparência de subjetividade pura, a que Agostinho chama distensão da própria alma:

> Em ti, ó meu espírito, meço os tempos [...] meço a impressão que as coisas gravam em ti, à sua passagem, impressão que permanece ainda depois de elas terem passado. Meço-a a ela enquanto é presente, e não àquelas coisas que se sucederam para a impressão ser produzida. É essa a impressão ou percepção que eu meço, quando meço os tempos. Portanto, ou essa impressão é os tempos ou eu não meço os tempos.[75]

Essa concepção subjetiva do tempo encontra larga acolhida nos pensadores que transitam na fenomenologia. Segundo Oliveira,[76] o tema da distensão da alma fornece a chave para a compreensão do tempo humano e sua medida. A *distensio animi* seria o tempo interior, psicológico, subjetivo, que substitui a concepção cosmológica do espaço de tempo que associava o tempo ao movimento dos astros.[77]

A burguesia, no entanto, tendo que produzir sua própria existência, compassa seu *time* subjetivo pelos ponteiros do relógio. "Tempo é dinheiro" é um dito popular que expressa a qualidade do tempo na sociedade do trabalho. O burguês estabelece com a temporalidade uma relação exterior, a partir do tempo necessário para a produção de mercadorias e do retorno dessa em forma de lucros e salário. Assim é que, no século XVII, a preocupação de Comênio, pensador burguês, é fundar as bases de uma nova educação na rapidez da produção manufatureira. Na sua *Didática magna* o tempo é medido pela produção de mercadoria. Esse pensador define a

74. Agostinho. *Confissões*. Trad. J. Oliveira Santos; A. Ambrósio de Pina. São Paulo, Nova Cultural, 1996, p. 319-320.

75. Ibidem, p. 336.

76. Oliveira, op. cit., p. 19.

77. Ibidem, p. 20-21.

natureza da sua obra como processo excelente de instruir a juventude ensinando tudo a todos, com economia de tempo, distribuindo o curso dos estudos por anos, meses, dias e horas.[78] Na "Saudação aos leitores", pontifica um método prático que ensine "rapidamente", sem enfado e aborrecimento.[79] E, no capítulo XIX, indaga:

> Quem ignora que os tecelões tecem rapidamente milhares e milhares de fios, desenhando figuras de admirável variedade? Quem não sabe que os moleiros moem rapidamente milhares e milhares de grãos e que separam perfeitamente o farelo da farinha sem nenhuma dificuldade?[80]

Essa digressão sobre a obra de um pedagogo não se faz ao acaso. Quando uma sociedade está surgindo no horizonte da história, trata de estabelecer uma pedagogia com base em seus fundamentos. Assim é que à lentidão do tempo feudal Comênio contrapõe, com base no ritmo das manufaturas, uma pedagogia que ensine com a rapidez necessária ao tempo burguês. De acordo com Egleaton, que afirmou ser a natureza da estética fundada em uma nova subjetividade que se contrapunha à ordem feudal em todos os setores da vida, a subjetividade burguesa reinventa o tempo dentro de uma cronologia capaz de organizar a produção, a circulação e o consumo da mercadoria.

Como esse aceleramento do tempo traduz-se na obra literária é o que está presente na análise de Benedito Nunes. Reportando ao postulado de Lukács de que no romance o tempo está ligado à forma, o autor afirma que essa ligação, ao mesmo tempo, capta o confronto da subjetividade com o mundo e, sob o primado do tempo cronológico, entronca o romance à narrativa histórica.[81] Isso se deve ao caráter prosaico do romance, que converte o herói da antiga epopéia em herói problemático, ao qual o tempo não poupa, imprimindo seus sinais de inquietação, mudança, declínio e conciliação, ao passo que o herói grego não sofre as intempéries do tempo cronológico. Prossegue o professor Benedito Nunes:

78. J. A. Comênio, *Didática magna*: tratado da arte universal de ensinar tudo a todos. Introdução, tradução e notas de Joaquim Ferreira Gomes. 3. ed. Lisboa, Gulbenkian, 1957, p. 43.

79. Ibidem, p. 45.

80. Ibidem, p. 273.

81. B. Nunes, *O tempo na narrativa*. 2. ed. São Paulo, Ática, 2000, p. 50.

> A época do romance é a época do surgimento da História moderna e, não por acaso, também aquela em que está começando a cronometria do trabalho e da produção, que levou o controle dos relógios mecânicos, depois que se tornaram mais precisos, a estender-se sobre toda a vida social.[82]

E para explicar o posterior rompimento da temporalidade cronológica que os textos de Balzac ilustram, onde o tempo das personagens é sempre o tempo dos relógios, ainda é a Lukács que recorre, afirmando ser a subjetividade insatisfeita do herói problemático o elemento que vai forçar a abertura romanesca à duração do tempo interior, atribuindo essa grande conquista a Proust, no início do século XX. Compondo com essa questão do herói problemático, o autor traz à cena o surgimento do cinema, cuja imagem cinematográfica permite, mediante artifícios, a ilusão da simultaneidade capaz de romper a linearidade temporal e, ainda, o sistema cubista das perspectivas múltiplas que permite a quebra da ordem cronológica da narrativa.[83]

Somados, todos esses fatores conduzem à reflexão de como a elaboração temporal dada por Clarice em *A hora da estrela* transforma-se em um recurso que permite vislumbrar contradições sociais e chamar a atenção para a questão humana. Ao tentar a síntese entre dois tempos, contrapõe à concepção burguesa de homem um tipo humano que a nega de modo contundente. Essa concepção, própria dos primeiros tempos da modernidade, permanece, de forma ideológica, no discurso político veiculado no Brasil dos anos 1970, por meio da PNC, conforme já demonstrado. Uma vez que Macabéa é a personagem-texto, tudo para ela converge, e o tempo está ligado de uma ou de outra forma à sua vida primária, que se arrasta entre o instante e a sucessão de dias insípidos. Há uma profunda contradição entre o ritmo acelerado da sociedade tecnológica e o ritmo de vida dessa personagem que "vivia em câmara leeeenta, lebre puuuuululando no aaaar sobre os oooooouteiros [...]".[84]

É importante lembrar que, na década em que a obra foi escrita, o Brasil experimenta um surto de desenvolvimento em

82. Nunes, 2000, p. 50.

83. Ibidem, p. 51.

84. Lispector, op. cit., p. 50.

ritmo acelerado e, no entanto, o tempo estético revela outro ritmo. Ao descosturar o real por esse artifício, Clarice o expõe ainda melhor, pois exprime a natureza contraditória de uma sociedade que avança excluindo de suas conquistas e relegando à margem da vida material e dos bens culturais uma grande massa de pessoas. Clarice marca o tempo de Macabéa pela Rádio Relógio, "que dava hora e cultura, e nenhuma música, só pingava em som de gotas que caem – cada gota de minuto que passava".[85] Como se a conexão entre a personagem e o mundo mais amplo se desse apenas pelos anúncios comerciais e os curtos ensinamentos fornecidos pela Rádio Relógio nos intervalos entre as gotas de minutos.

O tempo é assim, na obra, um elemento estrutural importante porque a síntese narrativa exige a recorrência a duas concepções temporais: uma linear, horizontal, própria do romance clássico que vai sendo quebrada, na obra, pela desordem temporal de um universo em fragmentos, e outra, que valoriza o instante, o momento, a verticalidade fechada em *close* no cotidiano de Macabéa, as ocasiões raras em que ia à Zona Sul olhar vitrines e, indo ao cinema, sonhava ser Marilyn Monroe; em que, no espelho, distraidamente examinava as manchas do rosto; em que inesperadamente vira no cais do porto um arco-íris; em que sonhara ter um poço só para si; momentos que vão pontilhando o curso dos dias. A captação do instantâneo, do fragmento temporal, revela pulsações internas por meio das quais a subjetividade desconstruída de Macabéa inscreve suas perplexidades e indagações de ser no mundo, expõe melhor a precariedade do humano e sugere que, a qualquer momento, o curso da vida pode ser rompido. Desenhando o isolamento por meio do retalhamento temporal, subtrai a interação que humaniza. A linearidade histórica vai sendo interrompida insistentemente no decurso da obra para dar lugar ao instante. Morrer é um instante, diz Rodrigo. É, pois, exatamente ao matar Macabéa que a autora, pela voz de Rodrigo, define o instante como aquele átimo de tempo em que o pneu do carro correndo em alta velocidade toca no chão e depois não toca mais e depois toca de novo. Morreu em um instante.[86] O tocar, não-

85. Ibidem, p. 53.

86. Ibidem, p. 105.

tocar, tocar de novo sugere a descontinuidade, a ruptura do tempo. No intervalo, a morte. O instante final tem sentido epifânico, simbólico do único momento em que uma vida como a de Macabéa adquire sentido, sua hora de estrela.

A quebra da sucessão temporal no curso da vida de Macabéa aventa a falta de consciência da personagem sobre si e o mundo, a ausência de uma direção, de um rumo histórico de quem "não sabia que ela era o que era, assim como um cachorro não sabe que é cachorro".[87] Privilegiando o instante, o narrador valoriza o presente e subtrai à personagem a consciência de um passado e um futuro. Sua vida pregressa e seu passado só existem por retalhos desconexos da memória, seu futuro é interrompido pela morte prematura. Confere-se, assim, ao leitor a possibilidade de vislumbrar em Macabéa o Homem no seu estado pleno de miséria, nascido do nada rumo a lugar nenhum. Um cogumelo, diz Clarice, sem raiz. Aliás, a consciência em estado de limbo é a principal característica dessa personagem, além da miséria material em que vegeta.

Não obstante, a vida está em curso. A horizontalidade temporal vai sendo construída por Rodrigo que tem, autor que é, consciência da direção pretendida. Só Rodrigo tem nas mãos o destino de Macabéa e pode usar o tempo a favor ou contra o desenlace de sua vida:

> Pergunto-me se eu deveria caminhar à frente do tempo e esboçar logo um final. [...] entendo que devo caminhar passo a passo de acordo com um prazo determinado por horas: até um bicho lida com o tempo.[88]

Intercalado pelos instantes, um mal disfarçado *continuum* temporal marcado pela monotonia e pelo tédio arrasta a vida de Macabéa rumo ao desfecho. Mesmo interrompida a cada passo, a linearidade permite ao leitor acompanhar a via-sacra que conduz a personagem ao calvário, como a dizer que, além do momento, do presente, do cotidiano, inexorável, cada um cumpre um tempo, escreve uma história. E a tragicidade da morte de Macabéa simboliza que, na sociedade do descartável,

87. Lispector, ibidem, p. 42.

88. Ibidem, p. 30.

as vidas desnecessárias à realização do grande capital cumprem um tempo menor, engolidas que são pela sua voracidade.

Espaço: o desagregado urbano em que habita Macabéa

Antonio Candido afirma que o que interessa na crítica literária é averiguar que fatores atuam na organização interna de uma obra, de maneira a constituir uma estrutura peculiar. Tomando-se o fator social, há que se verificar se ele apenas possibilita a realização do valor estético ou se, além disso, é elemento que atua na constituição do que há de essencial na obra enquanto obra de arte.[89]

Ilustra o professor com o exemplo de *Senhora*, de José de Alencar, em que o ato de compra de um marido tem um sentido social simbólico, pois representa o desmascaramento de costumes vigentes na época, como o casamento por dinheiro. Ao inventar a situação crua do esposo que se vende em contrato mediante pagamento estipulado, o romancista desnuda as raízes da relação, isto é, faz uma análise socialmente radical, reduzindo o ato ao seu aspecto social de compra e venda. Torna assim a obra simbólica das relações de compra e venda que constituem o cerne da sociedade capitalista.

Em *A hora da estrela*, a vida de Macabéa é definitivamente afetada por sua condição social, na medida em que essa determina todas as suas carências e, por este ângulo, o fator social tem, na obra, sentido simbólico que deve ser levado em conta na sua análise composicional. Quer dizer, as referências à sociedade não surgem no texto apenas como apelo estético, mas como elemento estrutural sem o qual seria inviável compreender o movimento da personagem até o desenlace. Pois bem, os signos que marcam a referencialidade do espaço em que a personagem transita são os que indiciam com maior precisão o fator social e, por decorrência, o caráter contra-ideológico da obra, já que a condição social de Macabéa é produto de relações sociais muito precisas.

No decurso da obra, não bastassem todos os outros indícios já detectados que levam a percorrer com Rodrigo o caminho da

89. Candido, 1985, p. 5.

desintegração humana traçado para Macabéa, e que faz dela, por excelência, a expressão de uma sociedade problemática, as marcas espaciais dão conta de provocar o "efeito de real" necessário para conduzir o leitor, desde o cotidiano em que transita a personagem, até o espaço mais amplo da totalidade social. Com isso, definitivamente, a obra mostra que a todas as preocupações com a linguagem e com a narrativa moderna soma-se um envolvimento com o social, o que lhe conferiu, por parte da crítica, também, a denominação de romance social.

Definindo o romance naturalista como o que concede ao leitor "um fragmento da vida humana", Zola formula o conceito de "senso do real",[90] que seria o sentimento da natureza no escritor e sua capacidade de representá-la tal como ela é. Essa capacidade representativa demonstra Clarice pois, embora *A hora da estrela* fuja ao ideário naturalista enquanto aproximação mimética do real, ao mesmo tempo, remete, por meio de "notações insignificantes" a que Barthes chamou de "efeito de real",[91] ao espaço mais amplo do capitalismo. A notação insignificante, diz Barthes, aparenta-se com a descrição, mesmo se o objeto parecer denotado por apenas uma palavra. Essas notações seriam pormenores supérfluos em relação à estrutura, não participando, à primeira vista, da ordem do notável, mas com indiscutível valor simbólico e valor funcional que, mesmo indireto, sinaliza com a atmosfera desejada, podendo, por isso, serem significativos na estrutura:

90. E. Zola, *Do romance*: Stendhal, Flaubert e Goncourt. Trad. Plínio Augusto Coelho. São Paulo, EDUSP, 1995, p. 26.

91. R. Barthes, O efeito do real. In Barthes et al. *Literatura e realidade* (que é o realismo?). Lisboa, Publicações Dom Quixote, 1984, p. 88-89.

92. Ibidem, p. 89-90.

A singularidade da descrição (ou do pormenor inútil) no tecido narrativo designa uma questão que tem a maior importância no que diz respeito à análise estrutural das narrativas. Esta questão é a seguinte: tudo na narrativa é significante, e caso contrário, se subsistirem no sintagma narrativo áreas insignificantes, qual é, definitivamente – se assim se pode dizer – a significação desta insignificância?[92]

A estrutura narrativa de *A hora da estrela*, que demonstrou-se capítulos atrás, compõe-se da alternância entre a narrativa introspectiva de Rodrigo e a história da nordestina. Seriam, portanto, aparentemente supérfluas as notações que remetem ao espaço mais abrangente da sociedade do capital, por exemplo, a menção de que a história é escrita

> sob o patrocínio do refrigerante mais popular do mundo, espalhado por todos os países, patrocinador do último terremoto da Guatemala e a quem todos amam com servilidade e subserviência.[93]

Todas as indicações são de que se trata da Coca-Cola. É de saber comum que esse refrigerante é um ícone dos grandes monopólios, realidade do capital no século XX, a tal ponto que Clarice afirma ser essa bebida, apesar do gosto de esmalte de unha, de sabão Aristolino e plástico mastigado, um meio de a pessoa atualizar-se e pisar na hora presente.[94] Outra notação a ser considerada é de que Macabéa não se dava conta de que vivia numa sociedade técnica, onde ela era um parafuso dispensável.[95] Sabe-se que nenhuma outra sociedade alcançou um grau de tecnologização tão acentuado como o capitalismo, e que a objetivação do trabalho tornou grandes parcelas da população dispensáveis do mesmo, gerando significativa massa de excluídos e miseráveis. Assim, as notações apontadas, esparsas no texto, parecem, também, parafusos dispensáveis na estrutura narrativa. Todavia, um exame mais acurado denota que remetem a algo que é essencial para se compreender o móvel último da desumanização da personagem, porque são as únicas expressões que, no texto, marcam explicitamente espaço da totalidade do capital, mais abrangente do que o espaço urbano em que vive Macabéa.

A hora da estrela tem um caráter de documentário urbano que por si remete à totalidade mais ampla do capital: "[...] limito-me a contar as fracas aventuras de uma moça numa cidade toda feita contra ela".[96] Sabe-se, então, de Macabéa, que vive no Rio de Janeiro, trabalha como datilógrafa em uma firma de representante de roldanas e divide com mais quatro moças um quarto sujo na áspera rua do Acre. Esse circuito espacial denota nitidamente a classe social a que pertence sua personagem de

93. Lispector, op. cit., p. 38.

94. Ibidem, p. 38.

95. Ibidem, p. 44.

96. Ibidem, p. 15.

proa. A autora, porém, não se limita a situar o espaço físico de Macabéa. Ao afirmar que, como a nordestina, há milhares de moças espalhadas por cortiços, vagas de cama num quarto, atrás de balcões, trabalhando até a estafa, dimensiona essa singularidade no espaço de uma sociedade problemática, especialmente porque contrapõe esses com outros espaços, como as vitrines faiscantes de jóias e de roupas acetinadas de Copacabana e o mundo por dentro da tela de um cinema, lugares que excluem Macabéa, nos quais ela só pode transitar no plano do imaginário. Essa aproximação do real, dada pela espacialidade estética, traz à baila, no âmbito da contra-ideologia, um dos problemas sociais mais contundentes das grandes cidades brasileiras como São Paulo e Rio de Janeiro: o êxodo de nordestinos que descem ao sul do país para fugir da seca.

No entanto vê-se que, ao abordar a questão dos nordestinos, não é propósito da obra compor com uma das vertentes mais expressivas da literatura brasileira, o regionalismo. É bem verdade que se pode falar de um hiper-realismo que acaba chamando a atenção para o problema do êxodo, e que o espaço urbano onde as ações se realizam tinge-se de uma coloração regional dada pelo problema histórico da seca na região Nordeste, que acaba desaguando no eixo Rio–São Paulo e que na obra representa-se não apenas por Macabéa, mas por Olímpico de Jesus, seu namorado. Ela de Alagoas, ele da Paraíba. O tema da seca já motivou outras literaturas de grande porte – *Vidas Secas* de Graciliano Ramos; *O Quinze*, de Rachel de Queiroz, só para citar dois exemplos contundentes. Em Clarice, porém, o regional não se realiza como nas outras literaturas. A retirada, a fuga da pobreza do Nordeste não constituem temática, mas motivo. Macabéa nasce pobre, nordestina, migra para o sul porque ao sul se migra em busca da vida, na ilusão de que a vida não se desmanche, como no Nordeste, com a seca, que ela tenha continuidade. A continuidade confere à obra sua natureza urbana. Não por acaso a escolha do espaço urbano. A grande metrópole é um ícone da voracidade do capital. O capitalismo é um modo urbano de produzir a vida. Realizou-se a partir da instauração dos processos industriais que anulam o espaço rural como possibilidade única de realização da vida e geram gigantescos e complexos centros urbanos, onde os homens não se reconhecem mais, passam de membros das grandes famílias rurais a anônimos perdidos na multidão, sem rosto e sem nome. No espaço da cidade grande, que definitivamente é contra ela, perambula Macabéa, sem nenhum projeto, sem nenhum norte, senão o de garantir o arrastar da sua vidinha pobre e apagada, pois que "a vida é assim: aperta-se o botão e a vida acende. Só que ela (Macabéa) não sabia qual era o botão de acender".[97] Dirá Vieira que a personagem não é apta a viver numa sociedade tecnológica e de consumo, onde todos lutam para ter sucesso, em um mundo de escravidão moderna que poderia ser interpretado como uma espécie de cativeiro materialista.[98]

A sociedade técnica, em que "o transistor substitui o folclore", alusão ao grau de tecnologização que o capitalismo atingiu no século XX, dá o tom de que a autora precisa para representar o urbano com a agressividade desumanizante de que o capitalismo se reveste em seu estágio tecnológico. Clarice vai abrindo os espaços de movimentação das personagens, numa amplidão de percepções que vai clarificando para o leitor a natureza ideológica do projeto escritural. Significa dizer, no urbanismo desagregado de Clarice, que esta opera por meio de mediações estéticas, naquilo que esse espaço ficcional tem de comum a todos os homens, que é o seu modo social de viver.

Assim, ainda que a urbanidade vivida pela personagem remeta à situação singular dos nordestinos que vêm para a cidade grande, o *efeito de real* dado pelos signos referentes ao capitalismo dá conta de ampliar a visibilidade do leitor, chamando a atenção para a questão de como uma sociedade, tendo atingido determinado grau de avanço tecnológico, pode, contraditoriamente, gerar desumanização.

Há que se considerar outro recurso que remete, igualmente, ao espaço mais amplo do grande capital: a alegoria. Olhando para Macabéa e o séquito de desvalidos que compõem com ela a narrativa, pode-se afirmar que essa é a metáfora de um universo mais amplo. O espaço urbano em que circulam os refu-

97. Lispector, op. cit., p. 44.

98. N. Vieira, 1989, p. 208.

giados da fome alude, em primeira instância, à situação do nordestino e, em segunda, à situação da pobreza no país. Há, porém, um plano mais universal a que, por meio da alegoria, os índices espaciais esparsos ao longo do texto remetem, junto com os outros recursos estéticos, que é a problemática do homem na sociedade mais ampla do capital.

A alegoria é mediação, expediente de linguagem, recurso representativo de um fato singular, no caso, a vivência da nordestina pobre num espaço desumanizador, o Rio de Janeiro, para aludir de maneira simbólica a uma situação mais geral. Arrugucci Jr. afirma que a questão da alegoria presente na tradição literária mostra que esta não foi tão sobejamente utilizada nos anos 1970, no Brasil, apenas em função da repressão da linguagem que em determinado momento obriga a falar por meio de metáforas continuadas, como forma de não submergir na singularidade:

> [...] há uma coisa mais grave, mais profunda, e é o problema de que é muito difícil se ter a visão da totalidade, a visão da abrangência. A alegoria é a forma alusiva do fragmentário. Esse é o ponto [...] Certamente isso está acompanhando a história do capital, não necessariamente a condição do governo autoritário brasileiro. A fragmentação, o fundamento do alegórico está na amplitude da história do capital e na impossibilidade da gente dizer, num determinado momento, a totalidade.[99]

A dificuldade de dizer a totalidade apontada por Arrigucci Jr. reside no caráter fragmentário da sociedade num estágio em que a divisão do trabalho a segmentou de tal forma que é impossível, senão por meio de situações alegóricas, vislumbrá-la por inteiro. Daí o alegórico enquanto recurso por onde é possível, no desenho de uma singularidade, alcançar o universal. Nesse sentido, da apreensão do fragmento, do descontínuo, do diluído, inerentes ao próprio movimento da vida, a seguinte afirmação de Kadota: "Se o universo literário é feito de fragmentos, estes podem se ligar através de

99. Arrigucci Jr., 1979, p. 91.

finos fios tecidos habilmente de forma a moldar o mundo a ser revelado".[100]

No caso de *A hora da estrela*, a alegoria é um desses finos fios tecidos por onde entra Macabéa, pela experiência de suas fracas aventuras, no emocional do leitor. Ninguém que leia a obra está infenso à comoção provocada por Macabéa. É a partir dessa emoção que nasce a consciência da miséria humana que demarca a sociedade tecnológica como o espaço do capital. Daí que a alegoria da cidade grande dá vazão à ideologia que explicita a contradição entre dois mundos: o do lucro e o da miséria. E Clarice denota ter uma consciência muito precisa a respeito dessa totalidade desumanizante.

100. Kadota, 1997, p. 121.

CAPÍTULO 7
VOZES VELADAS OU ELA NÃO SABE GRITAR

> Então eu canto alto agudo uma melodia
> sincopada e estridente — é a minha própria dor,
> eu que carrego o mundo e há falta de felicidade.
>
> Clarice Lispector

A hora da estrela é um texto pontuado pela necessidade, permanentemente anunciada, de dar voz a Macabéa, a começar pelos títulos que abrem a obra, com um dos quais a autora anuncia o *direito ao grito*. A única personagem que tem voz no texto é Rodrigo que, na condição de escritor, com domínio pleno da linguagem, *adivinha a verdade*. A verdade de Macabéa e também das demais personagens, que de certa forma ele vai tecendo, é uma experiência existencial marcada pela parca palavra, quando não pelo silêncio. Assim, investigou-se o percurso traçado pela teoria sobre personagens, elegendo-se a polifonia como recurso apropriado para refletir sobre as personagens, de modo geral, aprofundando a reflexão com recorrência a outras teorias, para tratar de Rodrigo e Macabéa. A escolha da polifonia deve-se ao entendimento de ser essa categoria, por sua natureza dialógica, portadora de propriedades importantes ao desvelamento das vozes veladas, contidas ou inviáveis das personagens, na sua experiência de solidão e coisificação. A polifonia diz respeito às possibilidades, criadas pelo autor de uma obra, de as personagens expressarem com autonomia sua própria concepção de mundo personificada em sua ação e sua palavra:

> O sujeito que fala no romance é um homem essencialmente social. [...] Uma linguagem particular no romance representa sempre um ponto de vista particular sobre o mundo, que aspira a uma significação social.[101]

A partir da teoria de Bakhtin, Lopes[102] define personagens monológicas como sendo aquelas que no texto prestam-se a

101. M. Bakhtin, *Questões de literatura e de estética*: a teoria do romance. Trad. Aurora Fornoni Bernadini et al. 3. ed. São Paulo, UNESP, 1993, p. 135.

102. E. Lopes, Discurso literário e dialogismo em Bakhtin. In J. L Fiorin; D. L. P. de Barros (orgs.), *Dialogismo, polifonia, intertextualidade*. São Paulo, EDUSP, 1999, p. 74.

exprimir "uma única visão de mundo, uma ideologia dominante", geralmente coincidente com a visão do autor; e personagens polifônicas que funcionam como seres autônomos exprimindo visões de mundo particulares, que não coincidem necessariamente com a do autor. As personagens de *A hora da estrela* apresentam certa unicidade em alguns dos seus caracteres. No entanto, não se pode por isso dizer que são monológicas. Elas mantêm relativa autonomia, até mesmo Rodrigo que, nitidamente, representa as experiências da própria autora. Ao portar as personagens com várias vozes independentes e muitas vezes antagônicas, no sentido das experiências e aspirações pessoais de cada uma delas, Clarice preserva a multiplicidade de concepções de mundo e garante a natureza dialógica do discurso. A dialogia diz respeito tanto à individualidade das personagens quanto ao seu enquadramento contextual, que possibilita interações sociais.

> Bakhtin julga, de um lado, que não existem posições ideológicas abstratas, fora das personalidades dos personagens, e julga, também, por outro lado, que toda a enunciação é um fazer coletivo – quer dizer, é a expressão de um sentido que, desde o momento em que "faz sentido" para os componentes de uma mesma coletividade, não pode deixar de ser social.[103]

As personagens, diz Rodrigo, são sete: ele mesmo, Macabéa, Olímpico, Glória, o patrão, a cartomante e o médico. Com exceção de Rodrigo, narrador, todos os demais constituem uma mesma coletividade humana, assinalados todos pela mesma característica: o isolamento em que vivem, alienados dos instrumentos da cultura, por sua condição social, e, conseqüentemente, distinguidos pela precariedade da consciência que têm de si e do mundo. Pareceriam, portanto, personagens monológicas, sem rachaduras por onde se pudesse vislumbrar qualquer contra-ideologia, pois sendo tão iguais não poderiam fazer aflorar contradições. Porém, é possível apreender o caráter polifônico das personagens na medida em que, pela forma como interagem, como são colocadas no interior da

103. Lopes, ibidem, p. 74.

narrativa, representam o avesso do que propõem as concepções de homem e de mundo próprias da sociedade vigente. Pela negação dessa identidade, que é marca comum das personagens, expõem-se as fissuras por onde o ideológico se realiza, na leitura que cada uma delas, diferentemente da outra, faz do mundo e, especialmente, na medida de suas aspirações e no desempenho para realizá-las, ou seja, nos seus movimentos de interação social, os quais, diga-se de passagem, são bastante precários.

Um dos fios que, costurando a existência das personagens pela precariedade da interação, denunciam as contradições da sociedade é a solidão provocada pelo profundo isolamento em que vivem. Fukelman, na apresentação que faz de *A hora da estrela*, define a obra como um empreendimento "que vai até o fundo do poço em busca das origens do ser e as contradições da sociedade em que vive".[104] É a respeito das personagens que Fukelman está falando quando afirma que "o patente isolamento das pessoas parece conduzir a uma reflexão sobre a condição do ser humano, agravada por um tipo de organização social que segrega os indivíduos entre si".[105] Essa característica comum a todas as personagens não é apenas oriunda da sua situação de classe, de um modo de organização social que segrega, que põe de lado os desvalidos, embora nestes a condição marginal seja favorecida pela situação de classe.

Também a divisão do trabalho, a segmentação do conhecimento e da arte segrega e isola o homem, de modo geral, como bem representa Rodrigo que, mesmo não pertencendo à mesma classe social das demais personagens, repetidamente expressa sentimentos de solidão e isolamento, como escritor, quando afirma: "Sim, minha força está na solidão. Não tenho medo nem de chuvas tempestivas nem das grandes ventanias soltas, pois eu também sou o escuro da noite".[106]

Na analogia com tempestades, ventanias, noite e escuridão, a medida do isolamento. Caminha junto o sentimento de desvalia e marginalidade em que o escritor é confinado numa sociedade onde os bens culturais são considerados mercadorias de menos valor: "Quanto a escrever, mais vale um

104. C. Fukelman, Escrever estrelas (ora, direis). In C. Lispector, *A hora da estrela.* 23. ed. Rio de Janeiro, Francisco Alves, 1995, p. 7.

105. Ibidem, p. 7.

106. Lispector, op. cit., p. 32.

cachorro vivo". Assim, é pela experiência de isolamento e solidão que todas as personagens de *A hora da estrela* sugerem o homem vivente na sociedade tecnológica, pois que a solidão é oriunda do caráter fragmentário que vai contornando a sociedade desde o final do século XIX.

Em Macabéa, o isolamento chega a ser mesmo condição de liberdade, tal é o grau de desconforto que o pouco de convívio social provoca nela: "Dançava e rodopiava porque ao estar sozinha se tornava: l-i-v-r-e!".[107] A separação silábica que isola, por fragmentos, o significante, nesse processo, revaloriza o significado, atribuindo-lhe a dimensão de isolamento. Se o que define o humano é a interação social, essa experiência de isolamento prazeroso só se justifica numa situação em que o convívio social oprime em vez de libertar. A alienação dos instrumentos da cultura, a condição social em que vive e, conseqüentemente, a precariedade da consciência agem em Macabéa como forças que conduzem à solidão. Afinal, não conseguindo articular o pensamento, não conseguindo dar sentido ao mundo pela parca palavra, esconde-se no silêncio. Assim é que afasta de si Olímpico, único namorado que conseguira encontrar.

Esse parece ter-se deslocado da Paraíba ao Rio de Janeiro e entrado na história apenas para contribuir com a anulação de Macabéa. Desde o momento em que a conhece, a cada instante a deprecia para, finalmente, trocá-la por sua colega de trabalho. Todavia, como os demais, ele padece da mesma condição de isolamento: "Não passava de um coração solitário pulsando com dificuldade no espaço".[108] Talvez por isso tenha repelido Macabéa, tão igual a ele na sua solidão. Desenraizado da família, encontra em Glória o caminho "para um dia entrar no mundo dos outros",[109] pois de pesquisa em pesquisa, diz o narrador, fica sabendo que Glória tinha pai, mãe e comida quente em hora certa, ou seja, o ambiente familiar que lhe falta.

De todas as personagens, ainda que trabalhando como operário em uma metalúrgica, é a mais miserável, do ponto de vista material e moral. Não tem casa. Dorme de graça na

107. Lispector, ibidem, p. 57-58.

108. Ibidem, p. 83.

109. Ibidem, p. 83.

guarita de obras em demolição, por camaradagem do vigia. Já matou, já roubou e, além de tudo, é mentiroso. Anuncia-se Olímpico de Jesus Moreira Chaves, quando, na verdade, é apenas "de Jesus", sobrenome, segundo o narrador, daqueles que não têm pai. A ironia refinada de Clarice mais uma vez possibilita, na escolha do intertexto, a perspectiva contra-ideológica. Olímpico remete às divindades antigas e Jesus, à divindade medieval. Nem mesmo o peso da história impingido ao nome da personagem por esse conluio dos deuses, consegue lhe conferir alguma grandeza. Ao contrário, tais significantes funcionam como um estigma que acentua, pela magnitude dos significados, a posição de Olímpico na escala social. O intertexto traduz a profunda distância entre a personagem e as escalas superiores da pirâmide social. Não obstante, sonha alto. Quer ser deputado e "o 'palavreado seboso', o pragmatismo, a ambição desmedida constroem seu *background* na luta pela vida".[110]

Por outro lado, a escolha do trabalho de metalúrgico para Olímpico é um forte índice da desvalorização que sofre o trabalhador industrial, no contexto da política brasileira do período. É preciso lembrar que, no período em que a obra foi escrita, grandes movimentos grevistas desencadeados pelo sindicato dos metalúrgicos do ABC convulsionaram o país, chamando a atenção da população para o embate coletivo, forma de superar a impossibilidade individual e isolada de enfrentamento de condições sociais adversas. Do cerne dos setores industriais, modalidade por excelência dos processos capitalistas de trabalho, o contraponto com o trabalho artesanal sugerido pela inclinação da personagem para esculpir santos em madeira. Desse ofício, que por certo lhe traria alguma gratificação pessoal, nem sequer tem consciência de que poderia desenvolvê-lo, pois "era artista e não sabia". Marcado pelo absurdo desconhecimento de si mesmo, de suas possibilidades de humanização, limita-se a desempenhar um trabalho que consistia em pegar barras de metal de cima da máquina e colocá-las embaixo, sobre uma placa deslizante. Entretanto, "nunca se perguntara por que colocava a

110. A. M. Dias, *A hora da estrela* e a escrita do corpo cariado. *Tempo Brasileiro*, n. 82, 1985, p. 107.

barra embaixo",[111] tamanho o seu grau de alienação. Diferente de Macabéa, que teimosamente insiste em ser feliz a qualquer preço, Olímpico "será a personificação subdesenvolvida da consciência infeliz, a imagem ressentida e autoritária do miserável arrivista."[112]

A ausência de identidade, a solidão e o isolamento que constituem aspectos importantes da natureza de Macabéa e Olímpico marcam, igualmente, Glória, o médico e a cartomante, apontando a mesma questão da anulação do homem pela sociedade. São personagens periféricas, pois não têm história própria, estando presentes no texto apenas quando necessárias à realização da história de Macabéa. No entanto, pela forma estética que adquirem com a linguagem de Rodrigo, constituem importantes expressões contra-ideológicas, nos deslocamentos que sofrem, na condição humana, no grau de inconsciência que apresentam. Na verdade, essas personagens representam segmentos recortados da sociedade que transforma seres humanos em mercadoria.

O médico é uma personagem que não concorre decisivamente para o desenvolvimento da narrativa, vindo ao texto apenas em dado momento da trajetória de Macabéa que, por indicação de Glória, o procura para uma consulta. No entanto, sua passagem pelo texto, mesmo em minguados parágrafos, provoca enorme impacto, revelando a consciência da autora sobre o atendimento médico aos desfavorecidos, marcado pelo desleixo e pela falta de consciência e sobre o sentido humano dessa profissão. Vale a transcrição do parágrafo:

> Esse médico não tinha objetivo nenhum. A medicina era apenas para ganhar dinheiro e nunca por amor à profissão nem a doentes. Era desatento e achava a pobreza uma coisa feia. Trabalhava para os pobres detestando lidar com eles. Eles eram para ele o rebotalho de uma sociedade muito alta à qual também ele não pertence. Sabia que estava desatualizado na medicina e nas novidades clínicas, mas para pobre servia. O seu sonho era ter dinheiro para fazer exatamente o que queria: nada.[113]

111. Dias, ibidem, p. 62.

112. Ibidem, p. 107.

113. Lispector, op. cit., p. 85.

Do ponto de vista da perspectiva contra-ideológica que cumpre a obra, o médico é uma personagem altamente sugestiva da condição mercadorizada da medicina, especialmente em países periféricos aos centros de acumulação de ciência e tecnologia. Aspectos como o preconceito e a valorização do dinheiro em detrimento do paciente revelam, mais uma vez, o avesso do humano na sociedade. Clarice sinaliza como a sociedade moderna transformou uma ciência que nasceu sob a égide da própria burguesia para arrancar o mundo da precariedade de que padecia a medicina praticada na Idade Média.

A personagem Carlota, por sua vez, é profundamente sugestiva das camadas do povo brasileiro aviltado pela miséria moral. De perfil abrasileirado, mistura de cartomante, mãe de santo e trambiqueira, é também personagem das mais reveladoras do que a sociedade pode fazer com o ser humano quando ele não serve mais como força de trabalho. Prostituta durante toda sua vida, ganhar a vida como cartomante ludibriando pessoas ingênuas foi o que lhe restou quando, findo o viço da juventude, não conseguiu mais atrair o apetite sexual dos freqüentadores do Mangue. Clarice a pinta de maneira hilariante: "boquinha rechonchuda com vermelho vivo", "dentadura postiça", "faces oleosas com duas rodelas de ruge brilhoso", parecendo "um bonecão de louça meio quebrado".[114] Essa última tirada, metafórica, remete às rachaduras que os revezes sociais provocam na essência do homem. Na verdade, é o homem que está quebrado em sua natureza humana.

Finalmente, Glória, loura oxigenada, cabelos crespos em amarelo-ovo, um estardalhaço de existir, no dizer de Rodrigo, é a menos miserável na galeria dos desvalidos de *A hora da estrela*. Além de ter um trabalho e um namorado, ainda que roubado da colega, mora com a família, numa rua "General não-sei-o-quê". O que parece um gesto de enfado da autora ao ter que pensar um nome para a rua em que mora a personagem, revela uma intencionalidade que tanto pode ser apreendida como uma sátira ou desprezo aos militares ocupantes do cenário político, à época, como pode reve-

114. Ibidem, p. 90.

lar a falta de identidade da personagem. Portadora da mesmice e da pobreza de aspirações provocadas pela falta de cultura própria de uma "terceira classe de burguesia" do tipo "que gasta todo o dinheiro em comida", "tinha tudo o que seu pouco anseio lhe dava". A pobreza de aspirações a leva a ver em Olímpico uma boa razão para trair a colega, tirando-lhe o namorado. Com uma mistura de cinismo, sentimento de culpa e solidariedade no desempenho do seu papel, Glória sai da narrativa.

Rodrigo: personagem-autor-narrador

Embora se tenha mencionado Rodrigo na mesma situação de isolamento das demais personagens, pela riqueza e complexidade e pelo papel decisivo que cumpre na narrativa, julga-se que a menção anterior não é suficiente para a análise dessa personagem. Do ponto de vista estrutural, *A hora da estrela* compõe-se de dois segmentos narrativos: a história de Macabéa e a história de Rodrigo, que vão sendo construídas por desdobramentos. Clarice constrói a história de Rodrigo que constrói a história de Macabéa. Desse modo, Rodrigo é personagem, autor e narrador a um só tempo. Criado por Clarice para dar à autoria do texto uma voz masculina, é uma das mais importantes personagens, segundo sua própria fala. "A história – determino com livre arbítrio – vai ter uns sete personagens e eu sou um dos mais importantes, é claro."[115]

Na verdade, como já aludido anteriormente, a autora despersonaliza-se, mascarando-se com o rosto masculino do narrador. Rodrigo-personagem é o avesso de Clarice, uma espécie de *alter ego* por meio do qual sua voz possa ecoar em um mundo hostil às vozes femininas. Talvez por isso, diferentemente de Fernando Pessoa, Clarice recuse-se a criar um heterônimo, não usando Rodrigo como um disfarce por onde possa ocultar a sua cosmovisão. Ao contrário, provocativa, esgueira-se por entre as frinchas de Rodrigo, assinando a autoria da obra, anunciando-se na dedicatória do autor para lembrar ao leitor que este é, na verdade, Clarice Lispector, e

115. Lispector, op. cit., p. 26-27.

atravessa com sua assinatura os treze títulos dados à obra. Lembra Benedito Nunes que o artifício da falsa autoria é um recurso formal de longa tradição, com o qual liquida-se "o pudor da ficção que obriga o narrador a tentar disfarçá-la e a disfarçar-se por trás do texto".[116]

Como se tais artimanhas não bastassem para lembrar ao leitor que quem se esconde em Rodrigo é, na verdade Clarice, todas as escolhas da autora para compor essa personagem são feitas com base em sua história de vida pessoal. Assim, Rodrigo é escritor e tem de lidar com uma personagem que vem do Nordeste para o Rio de Janeiro, portanto, a mesma profissão e trajetória de Clarice. Por outro lado, como a escritora, vive o dilema de ter que lidar com as transforma-ções por que passam as narrativas contemporâneas e com a situação de classe que os escritores vivem em um país que não valoriza os produtores de cultura. Além disso, tem de enfren-tar as dificuldades de interação, próprias das diferenças de classe. De modo que Rodrigo, enquanto personagem criado por Clarice, é nitidamente uma projeção dela mesma. É por meio da interação Rodrigo–Macabéa, que o projeto contra-ideológico ganha força.

Cabe aqui uma rápida digressão acerca do ponto de vista narrativo, tal como ele tem sido visto pela crítica, de modo geral, para tentar situar o ângulo de visão de Rodrigo, ques-tão que apresenta uma certa complexidade na obra estudada. Na passagem da introspecção ao primeiro plano da narrati-va, é eliminado o narrador onisciente, que abrangia o univer-so da personagem numa perspectiva reveladora de todas as nuances do seu mundo interior e da certeza de seu destino.

Na literatura do período romântico, a opção do escritor por conferir ao narrador o papel de relatar episódios a partir de um determinado lugar fixo, de onde tudo vê e tudo sabe a respeito da matéria narrada, confere à mesma um grau muito acentuado de verossimilhança, especialmente quando utiliza-dos recursos como documentos e cartas, à moda de Camilo Castelo Branco, em *Amor de perdição*, e de Goethe, em *Os sofrimentos do jovem Wherter*. Diz Massaud Moisés que esse

116. Nunes, 1982, p. 34.

tipo de estratégia foi herdada das novelas, em que o autor, na condição de cronista fiel, fazia questão de narrar a obra de modo impessoal. O ponto de vista a partir da terceira pessoa tanto podia ser o do escritor onisciente como o de uma personagem secundária que narrava os acontecimentos, na mesma condição de onisciência.[117] No período realista-naturalista, prossegue Moisés, continua vigente a narrativa desenvolvida em terceira pessoa e o escritor, muito mais que antes, torna-se onisciente.[118] Em contato com os avanços científicos, especialmente nas áreas da medicina, biologia e sociologia, a impessoalidade, então, traduz o despojamento e a neutralidade com que o cientista observa o mundo, onde como um demiurgo penetra no âmago da sociedade, traduzindo os efeitos de suas mazelas no homem. Massaud Moisés conclui a respeito do emprego da terceira pessoa e da onisciência narrativa próprias dos períodos romântico e realista-naturalista que, em qualquer dos casos, imobilizou-se a realidade viva, ao se submeter as personagens ao romancista fazendo com que obedecessem cegamente a vontade do narrador.[119] Esse ângulo de visão vai-se deslocando para a primeira pessoa na medida em que a concepção de romance introspectivo toma forma, naquele complexo de transformações ocorridas na passagem do século XIX para o XX. Muito contribuiu a psicologia, ao criar instrumentos de aproximação da natureza subterrânea do homem. E é essa natureza que, desde Machado, vem sendo objeto da criação estética. Clarice é, por excelência, a autora que valoriza e explora ao máximo essa visada introspectiva no conjunto da sua obra.

Em *A hora da estrela*, o campo visual do narrador bifurca-se entre o seu "eu" e o de Macabéa e demais personagens. Narrada em primeira pessoa, do ângulo escolhido o narrador não pode conhecer por inteiro a história, nem tampouco o mundo interior de Macabéa. Dispensar o recurso da onisciência, que abrange numa perspectiva única os propósitos da personagem, é fundamental para o sentido de humanização que é a proposta do texto. Com esse procedimento Rodrigo conduz o leitor pelos meandros do ser inconsciente, contradi-

117. M. Moisés, *A criação literária*. Introdução a problemática da literatura. São Paulo, Melhoramentos, 1967, p. 232.

118. Ibidem, p. 233.

119. Ibidem, p. 234.

tório e sem rumo, ao conceber a personagem de forma sofrida como se não a quisesse criar e assim o fizesse por imperiosa necessidade, inclusive estabelecendo com ela uma complicada relação de amor e ódio, de afetividade e repulsa. Por meio desse mesmo procedimento, expõe o interior dilacerado do escritor contemporâneo diante da narrativa e do lugar que ocupa no espaço social, o que conduz Waldman à afirmativa de que o problema da criação que emerge de *A hora da estrela* tem caráter de experiência existencial.[120] Na medida em que vai revelando a personagem, revela a si mesmo, relatando suas dificuldades de escritor na criação da personagem e do processo narrativo. Em razão do caráter dúplice da narrativa, a questão do ponto de vista adquire certa complexidade, pois que o ângulo de visão de Rodrigo varia de acordo com a posição que ocupa no texto, deslocando-se da sua história para a de Macabéa e vice-versa. Quando ele assume a posição de narrador da história de Macabéa, seu relato permite ampliar a cosmovisão do leitor, oferecendo-lhe um rico painel humano, pela diversidade das personagens traçadas que, junto com a personagem central, compõem uma das narrativas. De modo que o olhar recortado e voltado para o "eu" não reduz a dimensão do mundo que Clarice quer mostrar. Apenas torna esse mundo mais rico e fascinante quando não se propõe a fazer apenas um romance psicológico. Assim, o recurso de articular sua própria narrativa com a de Macabéa permite-lhe construir uma verdadeira odisséia moderna e exibir a profunda contradição entre o homem fragmentado, isolado, destituído de si mesmo e a sociedade da Coca-Cola, entre Macabéa em desconstrução e o mito de Marylin Monroe e, ainda, permite mostrar os dilemas do escritor contemporâneo. Assim, o caráter humanístico do texto revela-se sobremaneira na relação entre Rodrigo e Macabéa, entre a história de um e de outro.

Como as demais, Rodrigo é uma personagem polifônica na medida em que, mesmo representando Clarice, é construído de modo a explicitar incertezas, contradições, ou seja, de revelar uma consciência em Clarice de que não há verdades indiscutíveis, daí seus conflitos internos, tanto no que tange à

120. Waldman, 1979. p. 65.

concepção narrativa que informa a obra, quanto na criação de Macabéa. Rodrigo não pertence à legião de desvalidos na obra, é o único que tem consciência do seu lugar no mundo:

> Sim, não tenho classe social, marginalizado que sou. A classe alta me tem como um monstro esquisito, a média com desconfiança de que eu possa desequilibrá-la, a classe baixa nunca vem a mim.[121]

Essa citação é extremamente reveladora da profunda consciência que a autora tem a respeito da situação marginal do escritor na sociedade, da força desequilibradora da literatura como instrumento ideológico e de um tipo de organização social que impede a classe menos favorecida de ter acesso aos instrumentos da cultura.

Macabéa

Embora se tenham apontado alguns traços que distinguem Macabéa, no sentido de sua natureza de personagem polifônica, julga-se necessário, pela sua função na obra, estender a análise sobre ela que é, sem dúvida, o recurso maior com que, em *A hora da estrela*, Clarice realiza no estético o projeto contra-ideológico. É com ela que melhor denuncia a contradição social que desumaniza. É ela a voz, que faltando, impõe a Clarice o grito. Esse direito ao grito é, inclusive, *leitmotiv* para a criação de Rodrigo que, por contingências da profissão, é portador da palavra que falta. Personagem dilacerada, Macabéa, mesmo estando fora do mundo e este, dela, absorve em seu ser todo o ser da sociedade. Esta não a circunda, se faz nela e por ela. Para conseguir esse efeito, Clarice–Rodrigo vai tecendo a sua personagem-texto, que é o grande acontecimento da narrativa. O narrador expressa, de forma recorrente, uma suposta dificuldade em definir a personagem, que ele vai encontrando, gradativamente, dentro de si, como uma projeção de si mesmo, da própria Clarice e de todos nós, lutando com esforço para individuar Macabéa e enredar sua história:

121. Lispector, op. cit., p. 33.

> O material de que disponho é parco e singelo demais, as informações sobre os personagens são poucas e não muito elucidativas, informações essas que penosamente me vêm de mim para mim mesmo, é trabalho de carpintaria.[122]

A dificuldade anunciada pela autora não reside certamente nas informações sobre o cotidiano e no comportamento da personagem: "Pareço conhecer nos menores detalhes essa nordestina, pois se vivo com ela".[123] O conviver com ela significa que ela é uma projeção da autora e, por extensão, de todos nós, os homens deste momento, de alguma forma representados em Macabéa. É como se Clarice estivesse, esteticamente, concebendo o Homem qual o carpinteiro que, da madeira informe forja, na ficção, o humano. É importante, pois, apreendê-la enquanto matéria de ficção e nesta os liames que costuram o ideológico.

Já foi observado anteriormente que *A hora da estrela* conjuga dois processos narrativos: a história "exterior e explícita" de Macabéa, por onde a linearidade própria do romance clássico marca presença, e as reflexões de Rodrigo, narrador, sobre essa personagem, sobre si mesmo e a narrativa moderna, o que aproxima a obra das narrativas ditas existenciais, nas quais a introspecção, o fluxo de consciência, o *flash* e outros mais recursos são utilizados para fragmentar o linear e assim falsear a aparência de real. Esses dois processos entrelaçam-se continuamente, exigindo do leitor o esforço de costurar o linear entrevisto por entre os fragmentos. Macabéa é o fio condutor por onde as duas tramas são costuradas. Soberana, ela é a própria obra.

Tem cara de tola, rosto que pede tapa, falta-lhe o jeito de se ajeitar, diz Rodrigo. É o protótipo do anti-herói. O avesso do majestoso Ulisses,[124] a versão contemporânea de *Lazarilho de Tormes*.[125] Já se afirmou em capítulo anterior a inclinação a se ver em *A hora da estrela* um épico às avessas, pela negação do herói. Pela deseroização, Macabéa inscreve-se na história dos *Humilhados e ofendidos*, obra que lhe é emprestada pelo patrão. Fukelman corrobora esse pensamento sobre o avesso do herói: "Macabéa, em tudo e por tudo, é o oposto do herói

122. Ibidem, p. 28.

123. Ibidem, p. 21.

124. A trajetória de Ulisses, desde sua saída de Ítaca, guerreando e enfrentando com obstinação todas as vicissitudes impostas pelos deuses, faz dele um herói pois, mesmo submetido à ira do Olimpo, consegue retornar ao seu reino e retomar a vida.

125. Personagem considerada o primeiro protótipo moderno do anti-herói, que dá nome à obra do mesmo nome, de autoria desconhecida, marco inicial dos romances de tipo picaresco.

épico. Sua trajetória de vida aponta para a inviabilidade dos grandes feitos na sociedade moderna".[126] Como não ver nela o herói problemático de que fala Lukács? De modo que a principal linha que sustenta o texto é essa personagem, mais importante que a narrativa, no lugar dela, conduzindo o leitor, na sua experiência de solidão, de coisificação, de diluição, por onde se esgueira, na escassez humana outorgada pelo modelo estético, a falência do homem na sociedade tecnológica.

A carga sígnica contida em expressões como vaga existência, matéria opaca, vida primária, o viver ralo, que vão sendo pontuadas por Rodrigo a cada passo, retiram da personagem qualquer consistência e revelam extrema fragilidade. Toda sua trajetória é marcada por uma espécie de debilidade física e espiritual que se traduz em quase imobilidade, como se fosse praticamente arrastada ao longo da obra pelo seu criador, Rodrigo. Contraditoriamente, impõe-se com força avassaladora sobre os demais elementos e personagens, praticamente exigindo que a atenção do leitor esteja permanentemente centrada nela. Por isso, tanto do ponto de vista do projeto escritural quanto do que compõe o arsenal teórico que segue rumo ao desvelamento ideológico, pode ser chamada de personagem-texto, pois tudo na obra concorre para exibi-la na multiplicidade e complexidade de suas facetas bem como no processo de sua decomposição física e moral que evolui até o desfecho final, em grande estilo.

A história da personagem, que Rodrigo decide contar quando "já não dá mais para adiar a pobreza da história", começa por conceder "corpo físico" a uma idéia que nasce nas primeiras páginas, no primeiro momento em que a autora confessa ter apreendido de relance o sentimento de perdição de uma moça nordestina.[127] Até a página 37, Macabéa não passa dessa idéia reticente que vai, imperiosa, impondo ao narrador a escritura de "uma história verdadeira embora inventada". Só a partir daí, ainda que interrompido continuadamente pelas intervenções de Rodrigo, desenrola-se o fio narrativo por onde o processo de decadência da personagem presta-se adequadamente a simbolizar o processo mesmo de decadên-

126. Fukelman, 1995, p. 14.

127. Valiosa a contribuição do professor Álvaro durante o exame da tese ao apontar a natureza epifânica desse momento fugaz em que, pela primeira vez, Rodrigo capta, de relance, o intangível em Macabéa.

cia do romance na sua forma clássica. As fingidas dificuldades que Clarice confere ao narrador para articular a trama narrativa e definir o destino da personagem na linearidade anunciada podem ser entendidas como um recurso apropriado à exposição da complexidade de Macabéa, mas também se prestam a exprimir a sua consciência de escritora sobre o processo de declínio e morte da narrativa clássica. A condução da personagem pelo caminho íngreme de sua dissolução até chegar à morte, favorece essa interpretação. Tais posições decorrem de perspectivas antagônicas.

Todorov, numa perspectiva formalista, discorre sobre como, em um conto do tipo *As mil e uma noites*, o recurso do encaixe e da enunciação de narrativas pode valorar a narrativa em detrimento da personagem. O preço da vida de cada personagem é medido por sua capacidade de narrar. "O livro que não conta nenhuma história mata. A ausência da narrativa significa a morte."[128] Nessa perspectiva, a narrativa sobrepõe-se à personagem que fica a ela submetida, dependendo de sua competência narrativa para sobreviver.

Ilustra a mesma situação com o conto do dervixe que, ao não precisar mais contar a viajantes a maneira de apanhar um pássaro que falava, vem a morrer, não se sabe, diz o autor, se por velhice ou por se tornar desnecessário à narrativa, confirmando com esse exemplo a idéia do homem-narrativa: "O homem é apenas uma narrativa; logo que a narrativa deixa de ser necessária, ele pode morrer. É o narrador que o mata, pois já não tem qualquer função".[129]

Nessa dimensão do formalismo, a estrutura narrativa adquire carga valorativa em que a personagem presta-se apenas a expressá-la, vindo a ser dispensável como tal, caso desnecessária ao ato de narrar. É a exaltação da estrutura narrativa, em detrimento do valor conferido à psicologia das personagens nas narrativas existencialistas.

Todorov está-se contrapondo a Henry James, em *A arte da ficção*,[130] na qual percebe, subrepticiamente, uma importância maior à personagem, no sentido de que tudo na narrativa estaria submetido à psicologia das personagens. Na verdade,

128. T. Todorov, *Poética da prosa*. Trad. Maria de Santa Cruz. Lisboa, Edições 70, 1971, p. 89.

129. Ibidem, p. 90.

130. Ibidem, p. 81.

trata-se de um confronto entre duas tendências: a vertente estruturalista e a existencialista ou psicológica. Todorov define as diferenças:

> A narrativa psicológica considera cada ação como uma via que dá acesso à personalidade daquele que actua, como uma expressão, ou até mesmo um sintoma. A ação não é considerada em si mesma, é transitiva em relação ao sujeito. A narrativa a-psicológica, pelo contrário, caracteriza-se pelas suas ações intransitivas: a ação tem importância como ação e não como índice de qualquer traço de caráter.[131]

Pois bem. Do ponto de vista do projeto escritural de *A hora da estrela*, considerando-se não só os caminhos da narrativa moderna, mas também a falta de vigor de Macabéa, sua submissão ao narrador, sua falta de rumo e, por fim, sua morte, justificar-se-ia o entendimento de que a personagem está a serviço de demonstrar simbolicamente a falência e a morte da narrativa clássica. Guardadas as devidas proporções com os exemplos de Todorov, Macabéa poderia, pela vertente do formalismo, ser tomada como a encarnação do processo de decomposição daquele modelo narrativo, simbolizando a ausência de uma necessidade histórica das grandes narrativas em uma sociedade em que o avanço tecnológico, acelerando e fragmentando o ritmo da vida, impõe àquelas uma nova formatação. Por outro lado, ainda do ponto de vista estético, a idéia de personagem-texto aventada aqui pode caminhar na contramão dessa proposta, no sentido de que Macabéa avoluma-se de tal forma, na sua qualidade terminal, que acaba por colocar todas as ações a serviço de sua trajetória pessoal e assim ela é o texto. E, por essa vertente, pode-se atribuir dimensão maior à personagem, em detrimento da narrativa.

Embora Todorov se tenha contraposto a James, é em Forster que a questão se coloca de forma mais precisa. Ele é quem vai detalhar com propriedade a perspectiva que, incidindo sobre o movimento interno, sobre as introspecções, as incursões pelo mundo subterrâneo do inconsciente, sobreleva

131. Todorov, ibidem, p. 83.

a personagem em detrimento da narrativa. Essa perspectiva define, segundo Forster, que a função do romance é a de expressar o aspecto da natureza humana propenso à ficção, qual seja, aquele que não é possível de ser revelado por sinais exteriores, por ações, que este domínio, diz o mesmo Forster, pertence à história. A narrativa romanesca pertence ao domínio da criação ficcional e só esta é reveladora daqueles caracteres que estão mais profundamente abaixo da superfície mostrada pela história. Toda a discussão sobre o capítulo que trata de personagens[132] caminha no sentido de deixar clara a importância de o escritor atingir, por meio da criação, esferas do humano que a vida não permite aos homens alcançarem, como também a importância desse alcance. Discorrendo sobre como aspectos humanos – nascimento, vida, morte, alimentação, sono e amor – são pouco explorados pelos romancistas da época, ironiza a estreiteza dos que não aderem a essa vertente, na medida em que o desprezo por esses recursos limitaria o poder criador.

Bem se vê que um trabalho nessa perspectiva coloca a personagem, em seu mundo interior, numa escala de valor acima das preocupações com a estrutura narrativa em si, em que é valorizado o encadeamento de ações. É possível que os excessos dessa vertente, compondo com toda a problemática que vinha da relação entre história e literatura desde a última metade do século XIX, tenham acabado por conduzir a pesquisa literária pelas sendas do formalismo e do estruturalismo, mas não deixa de ser contributiva a visada de Forster no sentido de um aprofundamento na compreensão dos aspectos psicológicos da personagem, no que isso tem que ver com o ser humano.

Mesmo sendo essa uma discussão de época, o crítico levanta uma questão importante sobre como a personagem ficcional exprime o humano. Diz Forster que a diferença entre as "pessoas na vida e as pessoas nos livros" está em que as primeiras coincidem com as segundas em cada detalhe, mas não podem ser reconhecidas no todo da personagem.[133] E o professor Antonio Candido mostra que, dentre os elementos cen-

132. E. M. Forster, *Aspectos do romance.* Trad. Maria Helena Martins. 2. ed. São Paulo: Globo, 1998, p. 65-75.

133. Ibidem, p. 59.

trais do desenvolvimento novelístico, a personagem toma vulto porque representa a possibilidade de adesão afetiva e intelectual do leitor, por mecanismos de identificações, projeção e transferência com a personagem. "Não espanta, portanto, que a personagem pareça o que há de mais vivo no romance; e que a leitura deste dependa basicamente da aceitação da verdade da personagem por parte do leitor".[134]

É, pois, inviável conceber no mundo uma pessoa como Macabéa. O seu ser na totalidade transcende de longe os parâmetros do real. Nem a natureza nem a história dariam conta de conceber tal criatura que reunisse em si tanta falta, como diz Rodrigo: "A moça não tinha. Não tinha o quê? É apenas isso mesmo. Não tinha".[135] É inenarrável o seu vazio. Na sua miséria extrema, Macabéa expressa o humano de forma caricatural e hiperbólica. É mesmo, na forma como foi desenhada, a própria negação do humano. Não obstante, a cada detalhe, o leitor nela reconhece as pegadas humanas. A quem não falta sempre um pouco ou muito de consciência? Quanta gente passa fome no mundo das pessoas? Quem não é às vezes um pouco ingênuo na busca da felicidade? Quem já não teve um namorado roubado, um desejo de ser estrela de cinema ou já não pautou seus desejos por anúncios e propagandas? Quem não cantou Caruso ou outro qualquer, com voz desafinada? Quem não sonhou ser feliz mesmo na miséria física e material? Assim, Macabéa, dessemelhante no conjunto, separada dos homens pela barreira da arte, é convincente pelo detalhe, enquanto resposta estética a indagações humanas. E é em cada característica isolada que nela se reconhece o Homem como ser social. Por isso, tão irreal nos aproxima tanto do real.

Forster aponta e demonstra com exemplos dois perfis básicos de personagem: planas, construídas ao redor de uma única idéia ou qualidade, e redondas, aquelas que por sua complexidade são capazes de surpreender de modo convincente.[136] Diz Antonio Candido[137] que o romance moderno procurou compor a lógica da personagem, aumentando cada vez mais esse sentimento de dificuldade do ser fictício, dimi-

---

134. A. Candido, A personagem do romance. In Candido et al. *A personagem de ficção*. 9. ed. São Paulo, Perspectiva, 1995, p. 54.

135. Lispector, op. cit., p. 40.

136. Forster, op. cit., p. 66-75.

137. Candido, 1995, p. 54.

nuindo, assim, a idéia de esquema fixo, próprio das personagens planas. Esse caminhar rumo à crescente complicação do universo interior das personagens deve-se às contribuições que trouxe a psicologia sobre o comportamento e a personalidade das pessoas. O professor Candido afirma, ainda, que a partir das investigações metódicas em psicologia, especialmente da psicanálise, a investigação da personagem ganhou um aspecto mais sistemático. A regra seria a de criar o máximo de complexidade, de variedade, com um mínimo de traços psíquicos, de atos e idéias. Assim Rodrigo–Clarice concebeu Macabéa: exígua e múltipla. Pode-se perfeitamente enquadrá-la, pela lógica da sua construção, como personagem redonda, ou esférica, para usar outra terminologia adotada por Forster. Clarice conseguiu pinçar e atribuir-lhe uma variedade de aspectos essenciais do humano. Personagem com muitas nuances, deixa o leitor perplexo a cada passo da incursão ao seu interior, que Rodrigo propõe. E é capaz, na sua complexidade e multiplicidade, de surpreender o leitor de forma convincente quanto às verdades propostas pela sua existência ficcional.

Entretanto, um olhar mais acurado evidencia que o seu comportamento define-se a partir de poucos traços básicos. Assim, a regra de criar o máximo de complexidade com um mínimo de traços psíquicos é aplicável à composição de Macabéa. Um desses traços é a notória falta de vigor, de espírito de luta, com que desenvolve sua caminhada. Falta-lhe direção, isto é, um projeto de vida que vá além de comer, dormir, trabalhar e ver vitrines ou filmes nos fins de semana. Outro traço é sua profunda ignorância e inconsciência sobre si e sobre o mundo que a cerca. Sua vida é uma longa meditação sobre o nada, dada naturalmente pela pobreza em que vive, pela falta de informação e de conhecimentos sobre qualquer coisa que não parta dos anúncios da Rádio Relógio. E ainda a pobreza do discurso que a distingue e está imbricada no traço anterior, já que consciência e linguagem são aspectos de uma mesma totalidade. Considere-se ainda que o eixo definidor de todos esses traços psíquicos básicos, que compõem a psicologia da personagem, é a exigüidade do seu intercâmbio social. O mundo no qual transita Macabéa é muito propício ao isolamento e, na escassez da interação, sua linguagem não se exercita e sua consciência não se amplia além dos limites de si mesma. Por isso, é uma personagem tão voltada para dentro, que abraça a si mesma no pouco calor das noites frias, que se olha no espelho repetidas vezes, com um olhar de superfície com o qual não consegue apreender a natureza do seu ser.

Prossegue Antonio Candido ensinando que, além da psicologia, certas concepções filosóficas concorrem de modo direto ou indireto para o desvendamento das aparências no homem e na sociedade, revolucionando o conceito de personalidade, tomada em si e com relação ao seu meio. Elas atuam na concepção de homem e, portanto de personagem, influindo na própria atividade criadora do romance, da poesia, do teatro. Uma dessas filosofias, afirma o crítico, é o marxismo.[138]

A teoria marxista ou Ciência da História[139] formula a concepção de homem a partir da relação entre homem e meio social. Dependendo do lugar que ocupa na escala social, o homem tem mais ou menos acesso aos instrumentos da cultura, o que lhe confere um maior ou menor grau de conhecimento, consciência e desempenho lingüístico. E Gramsci, conceituado teórico do marxismo, entende o homem pela mesma vertente. Diz que "a natureza humana não pode ser encontrada em nenhum homem particular, mas em toda a história do gênero humano".[140] A humanidade refletida em cada individualidade é composta de diversos elementos do indivíduo, dos outros homens e da natureza, esta entendida ativamente por meio do trabalho e da técnica. Entretanto, prossegue o mesmo autor, as relações entre o homem, os outros homens e a natureza não são mecânicas. São ativas e conscientes, correspondendo a um grau maior e menor de inteligibilidade que delas tenha o homem individual. "Daí ser possível dizer que cada um transforma a si mesmo, se modifica, na medida em que transforma e modifica o conjunto de relações do qual ele é o ponto central."[141]

138. Candido, 1995, p. 57-58.

139. A terminologia Ciência da História é tomada à obra *Ideologia Alemã* (1987), escrita por Marx e Engels, na qual essa teoria está desenvolvida.

140. Gramsci, 1989a, p. 43.

141. Ibidem, p. 40.

Considerando-se então, não só a contribuição da psicologia, mas também a do marxismo, para o desvendamento de aspectos humanos que influíram na composição de personagens, é possível compreender melhor o postulado de Lukács sobre o herói problemático e a proximidade de Macabéa com esse perfil de herói deseroizado. Macabéa não tem poder para transformar nem o próprio destino nem as circunstâncias sociais que a rodeiam. Ao contrário, vai sendo conduzida por Rodrigo sem nenhuma reação, a ponto de, por vezes, despertar nele o desejo de estapeá-la. Da tensão da personagem com estruturas sociais degradadas, no dizer de Alfredo Bosi, "estruturas incapazes de atuar os valores que a mesma sociedade prega"[142] nasce o anti-herói. Na impossibilidade de enfrentamento às adversidades que lhe são impostas pelo meio social onde circula, a personagem central de *A hora da estrela* sucumbe à vida, em vez de realizar e controlar seu próprio destino. O *modus vivendi* ficcional criado por Rodrigo para Macabéa é montado, todo ele, para a desconstrução humana da personagem.

Com base na relação homem–meio social defendida por autores de base marxista como Gramsci e, no âmbito da teoria literária, Lukács e Bosi, os traços estéticos caracterizadores da natureza de Macabéa – inconsciência sobre mundo que a cerca, pobreza do discurso, falta de vigor, de espírito de luta e de projetos – podem propiciar a costura da contra-ideologia que vai de encontro à concepção de homem vigente na sociedade de Clarice, se entendidos esses traços a partir das dificuldades materiais e espirituais inerentes à classe social escolhida pela autora para situar a personagem. Sua pobreza material e o parco intercâmbio social operam ao definir uma personalidade que tende ao fracasso, num corpo fadado a definhar a cada página. Assim Macabéa contradiz o conceito de homem definido não só pelo discurso político vigente no Brasil, mas de forma ampla, a concepção de homem burguês que compõe o estatuto das idéias liberais.

A recorrência ao intertexto é uma das possibilidades de identificar-se o viés que perpassa a obra conferindo-lhe esse

142. A. Bosi, *História concisa da literatura brasileira*. 3. ed. São Paulo, Cultrix, 1985, p. 440.

caráter de funcionar como produção contra-ideológica. É na ênfase a essa função que a escolha de uma categoria como intertextualidade adquire sentido. Para Bakhtin, todo signo é ideológico e "a palavra é o fenômeno ideológico por excelência" por ser ela o modo mais puro e sensível da relação social.[143] Ao reportar a diferentes significados, emanados de diferentes vozes, a palavra torna-se palco de combate em que interagem as vozes que querem ser ouvidas. É essa natureza dialógica do signo que permite a ideologia perpassar o nome da personagem. Este é retirado do *Primeiro e Segundo Macabeus*,[144] livros que tratam dos valorosos combates desse grupo de zelotas na defesa da Lei Santa outorgada aos judeus por Moisés, das tradições judaicas e do Templo Sagrado de Jerusalém, contra os gregos. A luta dos macabeus desenvolve-se entre os anos 175-134 a.C. em resposta à campanha que Etiocus Epifanes, rei dos gregos, desencadeou para helenizar os judeus, dessacralizando o templo, proibindo a leitura da *Torá* e a prática de ritos religiosos.

Em *A hora da estrela*, o confronto entre o signo bíblico e o literário sugere a existência de um postulado ideológico, na medida em que a bravura dos macabeus, seu espírito de luta, põe em destaque a fraqueza de Macabéa. Os macabeus têm ambições políticas, objetivos definidos e foram, à sua época, os mais bravos e incansáveis na luta pela liberdade dos judeus, na maioria das vezes, enfrentando o império helênico com exércitos menores em contingente humano e bélico. Será que dos postulados bíblicos Clarice quer tirar força para sua personagem ao buscar no bravo Judas Macabeu e seus irmãos o contraponto com que tece a ausência de vigor e de espírito de luta de Macabéa? Ou a história dos macabeus representa a antítese que Clarice busca nos recônditos da Bíblia para escancarar melhor a condição da personagem? De qualquer modo, o intertexto com esse povo bíblico realça a falta de vigor para a luta e a ausência de objetivos de Macabéa. Waldman[145] interpreta o intertexto de duas formas: a representação, em Macabéa, do exército dos excluídos que compõe a população brasilei-

143. M. Bakhtin, *Marxismo e filosofia da linguagem.* São Paulo, Hucitec, 1986, p. 36.

144. A história dos macabeus está relatada no primeiro e no segundo livro dos macabeus, compondo os Livros Históricos, no Antigo Testamento da Bíblia de Jerusalém. Acerca da procedência dessas fontes, sabe-se apenas que o primeiro livro foi escrito em hebraico, por um judeu palestinense, e só foi conservado numa tradução grega, e que o segundo, escrito originalmente em grego, apresenta-se como parte da obra de um certo Jasão de Cirene.

145. Waldman, 1998, p. 97.

ra e de um judaísmo em crise. Para Nelson Vieira, *A hora da estrela*:

> [...] é uma adaptação da história apócrifa dos macabeus ao mundo contemporâneo, representado pelo Rio de Janeiro onde sua heroína Macabéa, uma pobre menina nordestina, se torna o símbolo dos zelotas bíblicos – os Macabeus e [...] onde são dramatizados os conflitos sociais, ilustrando como é resistente o espírito humano perante as forças de repressão social num país como o Brasil.[146]

Macabéa, ao contrário, não resiste à vida, apenas se deixa levar. No contraponto das batalhas em defesa do projeto de liberdade e das tradições, que anima os macabeus, a completa ausência de vigor da personagem de Clarice para a formulação de qualquer tipo de projeto, o que empresta ao seu dia-a-dia uma atmosfera tediosa e frouxa, impregnando o leitor de lassidão. Esse sentimento de diluição presente em Macabéa, a qualidade meio apodrecida que compõe a sua essencialidade de "moça delicada, de vaga existência e esvoaçada magreza, que mal tem corpo para vender, que é virgem, inócua e não faz falta a ninguém",[147] sua ausência de propósitos, sua inclinação ao imobilismo indiciam o limbo em que vive a grande maioria oprimida pelas circunstâncias da sociedade tecnológica.

Também a falta de consciência sobre si e o mundo, que sinaliza forte característica de Macabéa, remete o leitor à mesma questão. Diz Waldman:

> As formas objetivadas de sua existência como ser-no-mundo, os liames que ela estabelece com os sistemas de cultura, com a organização social, com a História são tão tênues que se pode dizer que ela vive num limbo impessoal. O mundo é fora dela e ela é fora do mundo também porque não se pensa: ("Nunca pensara em eu 'eu sou eu'").[148]

146. N. Vieira, 1989, p. 207.

147. Lispector, op. cit., p. 15.

148. Waldman, 1992, p. 94.

Essa incapacidade da personagem de pensar em si, em sua própria existência, pontua a obra do começo ao fim, como se fosse importante para o narrador acentuá-la. Destacam-se aqui fortes expressões dessa inconsciência desenhada por Rodrigo: "Quanto à moça, ela vive num limbo impessoal, sem alcançar o melhor nem o pior. Ela somente vive, inspirando e expirando [...] O seu viver é ralo".[149] Um pouco adiante, diz o narrador que a personagem era incompetente para a vida, faltando-lhe o jeito de se ajeitar e "só vagamente tomava conhecimento da espécie de ausência que tinha de si em si mesma".[150] Como, pois, uma pessoa saída do sertão com um mínimo de escolaridade e cuja única forma de obter conhecimento vinha dos anúncios da Rádio Relógio, cujas dúvidas suscitadas nunca eram esclarecidas, poderia ter consciência de si? A fala mais contundente de Rodrigo sobre Macabéa, que atesta de vez sua desumanidade e choca a sensibilidade do leitor, é a que a reduz explicitamente ao estado de animal, pelo vazio da consciência, marca do humano: "Essa moça não sabia que ela era o que era, assim como um cachorro não sabe que é um cachorro".[151]

No entanto, essa desumanidade é que permite Macabéa manter sua vida em limites suportáveis, pois "sendo leve e crente como uma idiota", não sabia que era infeliz. Não tendo consciência de que a vida podia ser melhor, de que ela podia alçar vôo, era feliz, do seu jeito e na sua medida. Só percebe que é infeliz quando, ao final da obra, atinge um laivo de consciência sobre si. Até então, o narrador vai acentuando gradualmente sua inconsciência, seu estado inumano, gastando-a "até a última lona, a boca a se colar ao chão".[152]

Há, no entanto, um esforço de Rodrigo para conferir certa dignidade à personagem; é quando lhe atribui a profissão de datilógrafa. Afinal, a modernidade foi erguida pelo trabalho e, segundo a ideologia liberal, por ele os homens ganham dignidade. Diferentemente das sociedades antiga e medieval, nas quais o ócio é a marca do homem realizado, na sociedade moderna o trabalho passa a ser entendido como princípio e conteúdo da existência, muito embora seja visto apenas no seu aspecto de trabalho socialmente útil para a produção de mercadorias e não como possibilidade de satisfação e realiza-

149. Lispector, op. cit., p. 38.

150. Ibidem, p. 39.

151. Ibidem, p. 42.

152. Ibidem, p. 90.

ção pessoal. Macabéa tem um trabalho, talvez para lembrar o leitor, pelo intricado caminho da ficção, que existe todo um contingente humano obrigado aos serviços mecânicos, dos quais esses homens retiram apenas um soldo miserável e nenhum prazer, nenhum conhecimento, nada que lhes confira humanidade, que lhes dê a consciência de que são seres que contribuem para fazer o mundo avançar em determinada direção. Talvez por isso, a certa altura, Rodrigo lamente que Macabéa não exerça a profissão de cerzideira, aprendida na infância. No trabalho artesanal, a unidade entre o homem e o que produz ainda não fora rompida pela divisão do trabalho industrial, a qual subtrai ao homem o prazer de apreciar o que ele criou. Se bordasse, Macabéa não estaria mais gratificada? Poderia ter ficado no fundo de Alagoas bordando enxovais e, quem sabe, deliciando-se, mais próxima da felicidade e da realização daqueles que os encomendavam. E não precisaria se deparar a todo instante com os dilemas da linguagem, que a obrigam a copiar os escritos do chefe, letra por letra, soletrando *de-si-gui-nar* em vez de designar.

É importante assinalar que o trabalho de datilógrafa também remete ao mundo da própria Clarice, o da literatura, nem sempre reconhecido e valorizado pela sociedade da Coca-Cola, o que de certa forma mergulha o leitor no universo de como a problemática da não-realização do homem na sociedade não reside na revolução dos instrumentos de trabalho, como se pensou por ocasião do advento da revolução industrial, mas na posição que ocupa o homem no espaço social e no mundo das profissões. De modo que, também pelo viés do trabalho, Clarice faz escolhas sígnicas que facilmente sugerem formulações contra-ideológicas, já que as escolhas com que arquitetou o universo ficcional do trabalho, na obra, remetem a um jogo entre consciência e não-consciência, dado pelo universo da profissão exercida por Macabéa, e também por seu meteórico namorado, no sentido das impossibilidades de, por meio da profissão que exercem, realizarem-se pessoalmente de alguma forma ou alterarem estruturas sociais.

Finalmente, poder-se-ia ver em Macabéa apenas a nordestina pobre e limitar a análise ao veio regionalista, na medida em que o permite a sua economia de linguagem, por exemplo, recurso utilizado sobejamente pela autora, sugerindo o isolamento cultural a que o nordestino é relegado. Em razão do primeiro ciclo de realização da economia capitalista no Brasil, o ciclo açucareiro, ter-se dado no Nordeste, o esgotamento das possibilidades econômicas não estimula mais o investimento de capitais na região. Esse problema, aliado à seca e a outros tantos fatores que não cabe aqui discutir, tem obrigado sua população a buscar, no Sudeste desenvolvido, respostas às suas necessidades pessoais, como simboliza a personagem. Que mais esperar, então, de uma imigrante nordestina pobre, mal preparada para a vida na cidade grande? Clarice, porém, vai além dos limites dados pela nordestinidade de Macabéa: "Escrevo, [...] não por causa da nordestina mas por motivo grave, de 'força maior'! como se diz nos requerimentos oficiais, por força de lei".[153] Mais que um chamar a atenção por meio da personagem para o infortúnio do nordestino, com essa mediação da pobreza patética e desesperadora, da falta de forças para lutar por um horizonte mais vasto, da falta de perspectivas que particulariza a personagem, Clarice constrói sua obra canônica, paradigmática da desconstrução do Homem, dos seus valores. Pela mediação estética da personagem, é representado, magistralmente, o tipo de homem engendrado pelas contradições da sociedade moderna, que Clarice captou e expressou de forma contundente.

Vista assim, a história da nordestina não servirá de "válvula de escape da média burguesia", como a certa altura teme Rodrigo, mas poderá atuar ampliando a consciência do leitor para a miséria humana provocada pela situação social da personagem. Por ela se apreende a sociedade do capital no seu pólo negativo, tal como ele se manifesta em solo brasileiro. Compreendida a natureza histórica de todas as coisas, *A hora da estrela* ascende vôo para além dos limites do Brasil com seus dramas e infortúnios. Macabéa é muito mais que

153. Lispector, op. cit., p. 32.

sua singularidade de nordestina pobre que tenta sobreviver num grande centro. Como mediação estética, açambarca o gênero humano e corporifica o Homem na miséria que assola a humanidade. Com essa personagem Clarice traz o Homem para o centro do debate. O que parece ser a sua negação apenas chama a atenção do leitor para como a sociedade o destrói. Construindo a negação do humano em Macabéa, a obra cria a necessidade de se pensar o homem e nele a sociedade e, nesta, a busca de respostas para as grandes questões sociais.

É possível afirmar, pela leitura da obra, que Macabéa é uma personagem reveladora por excelência da trajetória humana. Pode-se entrever nela algo mais profundo, um perfil que está dado nas contradições de uma totalidade social, em que instituições, valores, pessoas, não estão muito bem definidos, sugerindo os escombros informes de uma sociedade que deteriora e escorre como coalhada entre os dedos da mente, quando se tenta apreendê-la com a lógica da modernidade. Só os artistas do porte de uma Clarice Lispector, com a sensibilidade afinada no universal, conseguem dar conta de construir uma personagem como Macabéa, cujo vigor advém justamente da sua ausência de vigor, da sua qualidade terminal, de ser que se vai decompondo devagar até a boca colar no chão. De ser que, por essa qualidade, aponta a urgência não de se retomar o humanismo de uma época, mas de se forjar um novo humanismo, em que a realização do homem seja o centro das questões.

Antonio Candido ensina que as personagens não correspondem a pessoas vivas, mas nascem delas.[154] Por seus traços, não por sua integralidade, que aí seria a cópia do real e não ser fictício, Macabéa é um pouco de todos nós, representativa do Homem em suas circunstâncias. Assim é que a movimentação da personagem, como determinante do movimento que organiza o enredo, aponta para o projeto contra-ideológico vislumbrado na obra. Nessa perspectiva, ela atinge magnitude como instrumento estético portador de contra-ideologia, ao pôr em questão a decomposição da qualidade humana nos limites de uma sociedade que o desumaniza.

154. Candido, 1995, p. 67.

CAPÍTULO 8
NASCE UMA ESTRELA NO CORAÇÃO DO HOMEM

> Pois na hora da morte a pessoa se torna
> brilhante estrela de cinema, é o instante
> de glória de cada um e é quando como no
> canto coral se ouvem agudos sibilantes.
>
> Clarice Lispector

Predição e destino

Se o começo e o meio da ficção entrelaçam-se em *A hora da estrela* para produzir o efeito contra-ideológico, o peso atribuído ao gran *finale* é mais revelador, pois tem ele magnitude tal que é como se o leitor, desde o início, estivesse sendo preparado para viver esse momento. Clarice define todo o percurso, já de início, como o "registro dos fatos antecedentes". Antecedentes a que? À morte de Macabéa, que põe fim ao projeto da obra. Essa é a grande simbologia pela qual a autora convulsiona as emoções do leitor e, mais, a sua consciência. Porque a morte, bem como o momento imediato que a antecede, contém componentes estéticos de tal requinte, que o jogo entre o estético e o ideológico aí adquire a grandeza exigida para que a proposta, efetivamente, ganhe o estatuto de contra-hegemônica.

Alguns recursos estéticos de envergadura manejados pela autora, como a ironia e o uso de técnicas expressionistas, compõem o cenário tragicômico que vem ganhando estofo, desde o início da obra, para alcançar maior requinte nos momentos finais. Um desses recursos é a cartomante, versão moderna e irônica do adivinho presente em toda a literatura expressiva do mundo antigo.

Fazendo uma rápida incursão a fontes elucidativas da civilização grega, recolheu-se do *Dicionário de mitologia grega*[155] organizado por Abrão e Coscodai a definição de oráculo como um termo de dupla significação, sendo usado para designar, tanto a resposta de uma divindade a uma consulta

155. B. S. Abrao; M. U. Coscodai (orgs.), *Dicionário de mitologia grega*. São Paulo, Nova Cultural, 2000, p. 222.

formulada, quanto o nome dos santuários a que acorriam os devotos para suas consultas, constituindo a busca do oráculo uma expressão da submissão dos mortais aos desígnios divinos. A consulta oracular, no mais das vezes, dizia respeito a indagações sobre o destino de uma pessoa. Das inúmeras referências, algumas dão a dimensão do que essa crença representou na vida dos antigos e da importância do adivinho, geralmente um sacerdote, que transmitia o oráculo.

Heidegger informa que a figura do adivinho remonta à época trágica dos gregos, em torno de mais ou menos dois mil e quinhentos anos. Entre os estudos de textos pré-socráticos, reunidos pelo professor José Cavalcante de Souza, está a análise de Heidegger[156] por onde ele tenta apreender como se coloca a questão do destino das coisas (*ta ónta*) antes de que esse conceito fosse pensado pela filosofia, a partir de Platão e Aristóteles, com base na seguinte sentença de Anaximandro de Mileto:

> Ora, aquilo de onde as coisas se engendram para lá também devem desaparecer segundo a necessidade; pois elas se pagam umas às outras castigo e expiação pela sua criminalidade segundo o tempo fixado.[157]

O autor afirma que a sentença pode servir de fio condutor para se compreender a experiência do ser, nos primórdios da história, caso o engendramento e o desaparecimento das coisas sejam entendidos de forma mais ampla do que o simples surgir e desaparecer das coisas, no sentido de natureza:

> A sentença fala do ente múltiplo em sua totalidade. Mas do ente não fazem apenas parte as coisas. De maneira alguma são as coisas apenas coisas da natureza. Também os homens e as coisas produzidas pelo homem e os estados produzidos pelo agir e não agir humano, e as circunstâncias provocadas fazem parte do ente.[158]

156. M. Heidegger, A sentença de Anaximandro. Trad. Ernildo Stein. In J. C. Souza (org.), *Os pré-socráticos*. São Paulo, Abril, 1973.

157. Ibidem, p. 25.

158. Ibidem, p. 30.

Em Homero, o mesmo autor procura confirmar sua linha de raciocínio, explorando-a fora dos textos filosóficos, a fim de captar o sentido e a amplitude do conceito *ónta*, tal como fora utilizado "por toda gente", nos primórdios da Grécia. Assim, menciona uma passagem da *Ilíada*, quando Aquiles, referindo-se a Calcas, o caracteriza como adivinho, no verso, *hòs éde tá t'eónta ta t'essómena pró t'eónta*, traduzido por Heidegger como "o que conhecia o que é, o que será e o que foi antes".[159]

> Aquele que faz parte de adivinhos é um homem '*hòs éde*', que conhecia: *éde* é o mais-que-perfeito do perfeito *oiden*, "ele tem visto". Só quando alguém tem visto, ele vê, verdadeiramente. Ver é ter visto. O visto adveio e permanece no seu campo visual. O adivinho já sempre tem visto. Tendo visto já antes, ele vê antecipando, ele pré-vê. Vê o futuro a partir do perfeito.[160]

O que vê Calcas? O ente presente [*t'eónta ta*], o ente passado [*t'essómena*] e o ente futuro [*pró t'eónta*]. Assim, "surgimento e desaparecimento das coisas" estão dados como um destino pronto, já que podem ser pré-vistos pelo adivinho, que se reveste de poder porque detém um corpo de verdades, um saber secreto que o torna diferente dos outros mortais.

A questão do oráculo também está presente no estudo do professor Trajano Vieira sobre a peça de Sófocles, *Édipo rei*,[161] no qual faz referência a Walter Burkert, estudioso para quem Sófocles teria sido influenciado por Anaxágoras, ao enfatizar o caráter eterno e estável do conhecimento divino transmitido pelo oráculo, como sendo um conhecimento livre das contingências e mudanças oriundas do acaso que governam as ações humanas.[162] Ou seja, o destino do homem grego está dado e não será mudado por sua vontade.

A dimensão do adivinho na história da Grécia é possível de ser apreendida, também, em Vernant, ao estudar o universo espiritual da Polis. Posto que em nota de rodapé,[163] em razão de que o objeto de seus estudos é outro, o autor observa que, mesmo à época da Polis, o papel da adivinhação continua tendo peso na vida política dos gregos embora, de processo religioso que outrora tinha valor em si mesmo, tenha se transformado em esquema puramente formal.

159. Ibidem, p. 38.

160. Ibidem, p. 38.

161. T. Vieira, *Édipo Rei de Sófocles*. São Paulo, Perspectiva/FAPESP, 2001.

162. Ibidem, p. 21.

163. J.-P. Vernant, *As origens do pensamento grego*. Trad. Ísis Borges B. da Fonseca. 12. ed. Rio de Janeiro, Difel, 2002.

O estudo de Cícero, *Sobre o destino*, traduzido por Seabra Filho[164] revela que a poucos anos da era cristã e, depois, à época de Santo Agostinho, as questões do destino e da liberdade humana ainda constituíam objetos de indagação entre os pensadores. Está em debate a causalidade ou o acaso, no movimento das coisas; a influência ou não dos astros, na definição do destino; a validade ou não do destino adivinhado e a negação da fatalidade. Ilustram o debate vários exemplos como o caso, contado por Posidônio, de um náufrago a quem os oráculos haviam previsto morrer no mar e, tendo se safado, acabou por morrer afogado em um riacho.[165] Cícero contesta o filósofo, afirmando tratar-se de mero acaso o que o outro julga uma ação inexorável do destino.

O texto traduz, em nota explicativa, a reprodução que Agostinho faz de uma passagem em que Cícero retrata um diálogo entre Hipócrates, médico, e Posidônio, filósofo, a respeito do que teria levado gêmeos a adoecerem e se a recuperarem simultaneamente, contrapondo razões de natureza biológica à conjuntura dos astros, na hora da concepção e nascimento dos gêmeos.[166] Essa passagem demonstra que também a Igreja medieval preocupa-se com tais questões. O cristianismo opera um deslocamento da vontade dos deuses do Olimpo para a vontade do Deus único do cristianismo, no que diz respeito à responsabilidade pelo destino dos homens. Assim, na cultura ocidental, o destino fica atrelado ou à vontade dos deuses e vaticinado pelos oráculos, ou à conjuntura dos astros ou, ainda, à vontade do deus cristão medieval.

Os homens não disporão de seu destino até que a modernidade ponha em suas mãos, pelo livre-arbítrio, o poder de decidir, por si, a sua sorte. La Mirandola,[167] com um pé na modernidade e outro na Idade Média, por sua condição de padre, entende que Deus, ao conceber o homem, concedeu-lhe o livre-arbítrio, isto é a liberdade para escolher seu destino. Nesse contexto, construiu-se a ideologia burguesa da igualdade e liberdade, como já se demonstrou anteriormente, com Locke, para quem todo o homem é igual porque traz em seu corpo, potencialmente, força de trabalho e pode dispor

164. M. T. Cícero, *Sobre o destino*. Trad. e notas de José Rodrigues Seabra Filho. São Paulo, Nova Alexandria, 2001.

165. Ibidem, p. 11.

166. J. R. Seabra Filho, in Cícero, 2001, p. 44, n. 16.

167. Picco Della Mirandola, op. cit., p. 53.

de seu livre-arbítrio para vendê-la a quem quiser e, com isso, mudar seu destino, ascendendo socialmente.

Todavia, a ideologia burguesa do livre-arbítrio perde sua sustentação material no século XIX, pois os problemas oriundos da revolução industrial, que se realiza pela ótica do lucro, vêm demonstrar que o destino dos homens está mais uma vez traçado, agora pelas forças do capital. Essa digressão acerca do poder de o homem moderno traçar seu próprio destino é importante para estabelecer a base teórica que justifica a ironia de Clarice, ao trazer à baila a figura da cartomante.

Em *A hora da estrela*, a predição de Carlota, cartomante, funciona como uma espécie de oráculo grego às avessas. Macabéa não tem o destino adivinhado. Sucumbe, apesar da promessa de um destino glorioso, diferente do herói da epopéia que, segundo Fehér, está sob o signo da predestinação:

> Não é apenas o quadro geral do universo que se acha pronto desde o primeiro momento, mas também – por vontade exclusiva do Olimpo – a ação: o herói apenas cumprirá a trajetória que lhe tinha sido designada.[168]

A incapacidade de o herói grego fugir do destino traçado pelo oráculo é o mote que Clarice precisa para demarcar a contradição entre a vida sonhada e a morte acontecida; entre a esperança plantada no coração de Macabéa e o beco escuro, a sarjeta, a luta muda e a leve garoa que lhe empapa a roupa, no estertor da morte. Com o recurso da predição, a autora vai tecendo devagar, e por negação, a morte da personagem. Tomando, porém, *A hora da estrela* na sua negação às formas do romance clássico, não estaria sua personagem Macabéa, à moda grega, sucumbindo às forças da sociedade que a gerou?

Diferentemente do sentido religioso com que as tragédias gregas fizeram uso da predestinação, Clarice ironiza a situação, brincando com a curiosidade do leitor. Na situação trágica, as condições materiais eram favoráveis à representação, de fato, da convergência entre predestinação e realização do destino previsto, que era cumprido. Na modernidade, é de se

168. Fehér, op. cit., p. 42.

supor que, levada a sério a predestinação, Macabéa consiga realizar o destino promissor que lhe "vendeu" a cartomante, e a quem ela pagou com dinheiro emprestado. E aí está um dos elementos com que Clarice constrói a contra-hegemonia do seu projeto. Rompe com a tradição grega da indissolubilidade entre predestinação e realização do vaticínio, quando, desobedecendo ao adivinhado pela cartomante, mata Macabéa. Ao mesmo tempo, não se apóia na ideologia burguesa do livre-arbítrio, já que a Macabéa não é dada a escolha de seu destino. Não obstante a ideologia moderna da livre escolha, a personagem sucumbe à vida, contrariando o destino que lhe fora outorgado pela cartomante e que, por certo, se pudesse, escolheria para si. É que já vai longe a época em que o homem, pela lógica burguesa, conseguiria ter a posse do seu destino por meio do trabalho e do livre-arbítrio.

A utilização dessa versão patética do oráculo grego, construída pela modernidade, está presente em obras de quilate da literatura brasileira, por exemplo, em Machado de Assis. É nele que, visivelmente, ampara-se Clarice no sentido de forjar uma nova tradição que negue a ideologia burguesa como a portadora da libertação das misérias humanas. Machado, antes dela, ironiza esse modo peculiar de que a predestinação se revestiu em terras brasileiras. No conto "A cartomante", com o qual o intertexto é muito claro, a negação do oráculo é ainda mais surpreendente, pois em nenhum momento a trama anuncia ao leitor o desfecho trágico, tal como em Clarice. De todo modo, é em Machado que antes se realizam as rachaduras ideológicas com que uma espécie de literatura contra-hegemônica vem explicitando, por meio do estético, o modelo burguês de construção do mundo. Com o tratamento estético dado à personagem e ao ato da predição, Clarice consegue mais uma vez o efeito de chamar a atenção do leitor para a patética miséria humana, entrevista no desejo, não cumprido, de Macabéa, e para o que isso significa, no sentido da des-humanização do ser social.

Madama Carlota – alusão ao seu passado de prostituta (má dama) – não pode mais exercer sua profissão. Com a idade, ao tornar-se "força produtiva desqualificada" para o mercado da prostituição, busca o jeitinho brasileiro de sobreviver, "lendo" a sorte alheia, "quebrando feitiço". É fã de Jesus, tem um "guia" espiritual, com direito à polícia que, de vez em quando, não a deixa pôr cartas, e tudo o mais. Assim, vai Carlota enganando as desavisadas do porte de Macabéa e vai Clarice construindo o perfil de um Brasil que, se já foi cantado pela literatura, recorrentemente, não o foi com esse estilo grandiloqüente e tragicômico, esse misto de hiper-realismo e ironia refinada com que a autora escancara seus bastidores.

Atente-se para os signos construtivos da pobreza da ambientação onde se movimentam Carlota e Macabéa: o apartamento na esquina de um beco, com o capim crescendo entre as pedras do chão, o café frio quase sem açúcar, matéria plástica nas poltronas e até flores de matéria plástica (o que para Macabéa era um luxo que a deixava boquiaberta). E ainda, para dar credibilidade, o quadro do coração de Jesus, em vermelho e dourado. Todos esses ícones acabam por criar o clima propício para conferir o efeito de real ao episódio e, assim, mergulhar o leitor no âmago da contradição.

Instigada por Glória, Macabéa procura Carlota. Espera a pobre que Madama leia sua sorte e lhe vaticine, coitada, um bom futuro, já que seu passado e presente perfazem uma triste somatória de infelicidades. É com essa situação construída que Clarice dá o tom apropriado de como as classes menos preparadas intelectualmente buscam soluções para seus problemas. Na impossibilidade de vislumbrar um destino seguro por meio da materialidade de uma sociedade que acesse a todos os produtos do trabalho humano, que reparta suas riquezas, igualitariamente, como previu a ideologia burguesa em seus primórdios, as pessoas mais desprovidas, financeira e intelectualmente, recorrem aos oráculos modernos, cartomantes, búzios, predições de toda sorte, para vislumbrar algum caminho ou saída que as liberte do mal-estar, do sofrimento imposto pela miserabilidade, pela escassez, pelo quase-nada em que se convertem suas vidas numa sociedade em que o homem transformou-se em mercadoria descartável.

Assim, Macabéa recorre a Carlota, quando já não lhe resta mais nada do pouco a que estava acostumada. Perdera o único namorado para Glória. E, afinal, esta lhe justificou a situação: "Eu digo que ele é meu porque foi o que a minha cartomante me disse e eu não quero desobedecer porque ela é médium e nunca erra".[169]

Quem sabe a cartomante não vislumbraria um novo namorado no futuro de Macabéa? Carlota lhe "vende" muito mais que isso. Enquanto descreve sua vida de prostituta pobre do Mangue e vai exibindo, com isso, um aspecto amargo da realidade social brasileira, concede a Macabéa, finalmente e pela primeira vez, um futuro. Dos mais promissores: além de um homem (de olhos azuis ou verdes ou castanhos ou pretos) que chegaria em sua vida trazendo-lhe muito dinheiro, teria direito a um casco de peles (para o qual Maca não encontra nenhuma utilidade), ganharia corpo e veria aumentados os cabelos ralos da cabeça, bastando que os lavasse com sabão Aristolino. Tudo isso torna Macabéa, subitamente, portadora de "um maravilhoso destino".

Atente-se para a mercadorização do destino em *A hora da estrela*. Em uma sociedade cujos princípios são definidos pelo valor da mercadoria, tudo se transforma em mercadoria, inclusive, o destino dos homens. Ver-se-á que a mercadoria vendida, no caso, o destino de Macabéa, estava com prazo de validade vencido, já que a consumidora foi afetada por seu efeito colateral, contrário ao desejável. Não obstante, ela sai da consulta trôpega e cambaleante como os bêbados, embriagada de tanto e inesperado futuro. Clarice constrói a esperança no coração de Macabéa.

Ao mesmo tempo, já sinaliza, contraditoriamente, a intencionalidade velada do narrador Rodrigo–Clarice, *ela mesma*, de matar Macabéa. Embora no seu propósito de fingimento anuncie repetidas vezes sua indecisão de matar a personagem, Rodrigo–Clarice sabe que só a morte cabe na proposta porque é a única forma de libertar Macabéa de seu magro e insosso destino. A indecisão de Rodrigo leva o leitor ao envolvimento sensório-afetivo e intelectivo com a personagem e seu destino.

169. Lispector, op. cit., p. 81.

Todo o campo semântico que envolve o episódio da cartomante planta no coração do leitor a desconfiança: a substituição do significante *madame* por *má-dama* atribui antecedente suspeito à identidade de Carlota, sugerindo a fraude; a abundância de frases carinhosas com que ela envolve a personagem, comprando com carinho sua credibilidade, também é suspeita, embora Macabéa mesma não o perceba, por ser pobre até de carinho, beijando a parede, quando pequena, por não ter a quem beijar.[170] Fica o leitor em suspense, no intervalo entre o nada que preenche o real da personagem e o tudo prometido que preenche seu imaginário, no qual se instaura o absurdo, o imponderável. É, como se vê, um campo carregado de antíteses e, assim, minado de contradições, que deixam o leitor em alerta, com a respiração presa e alterados os horizontes da consciência, ainda que não haja intencionalidade explícita da autora nesse sentido.

O momento epifânico

Outro recurso utilizado por Clarice em *A hora da estrela* é a epifania, apontada exaustivamente pela crítica como de amplo uso na literatura clariceana, da qual não se pode passar ao largo, desde que seja trazida ao trabalho com o fim de apreender, na revelação, a ideologia por ela veiculada.

Em Olga de Sá, na obra *A escritura de Clarice Lispector*[171] o conceito e o procedimento da epifania estão sobejamente sistematizados. Desse estudo, aqui, será mencionado apenas o que interessa a esta investigação, no sentido de se demonstrar por onde se apreendeu o viés ideológico no procedimento epifânico utilizado por Clarice. Cabe, no entanto, uma rápida digressão a respeito.

Do ponto de vista teológico, segundo o *Dicionário de teologia bíblica,* de Johannes Bauer, citado por Olga de Sá, epifania significa:

> A irrupção de Deus no mundo, que se verifica diante dos olhos dos homens [...] com características naturais ou mis-

170. Ibidem, p. 97.

171. Sá, 1979.

teriosas que se manifestam repentinamente, e desaparecem rapidamente.[172]

Olga faz menção a várias situações de epifania, presentes tanto na literatura pagã – teofanias, divindades que se manifestam por meio de sinais – quanto na literatura religiosa, no Antigo e Novo Testamento. Menciona, do Antigo, o acontecimento do Monte Sinai, "com manifestações extraordinárias, relâmpagos e trovões". Do Novo Testamento sinaliza as aparições de Cristo, indiretas, feitas por aparições de anjos e diretas, como no dia de Pentecostes; e ainda a manifestação de Cristo menino aos reis magos, significando o seu anúncio a todos os povos e não somente aos judeus. Essa aparição é comemorada pelo cristianismo como a *Festa da epifania*.

Da teologia o conceito emigra para a literatura, na forma de objeto, momento fugaz, detalhe trivial, por cujo brilho e poeticidade o artista, tecendo uma complexa rede de associações e manifestações, o transforma em "prodigiosos símbolos" pelos quais apreende a qüididade da coisa, do objeto, qual seja, sua qualidade essencial.

Na transposição do conceito bíblico para o literário, Olga de Sá reporta-se a uma doutrina da epifania construída desde o *Stephen Hero*, primeiro esboço do *Retrato do artista enquanto jovem*, de James Joyce, que a teria buscado em Gabriel D'Annunzio e cujo fundamento encontra-se na concepção estética de Tomás de Aquino, para quem os requisitos do belo se traduzem por integritas (*integridade*), proportio (*harmonia*) e claritas (*radiância*). Joyce atribui a esse último atributo o conceito de epifania. É ilustrativa esta passagem que se refere à personagem Stefen Hero:

> Por epifania, ele entendia uma súbita manifestação espiritual, que surgia tanto em meio às palavras ou gestos mais corriqueiros quanto na mais memorável das situações espirituais. Acreditava fosse tarefa do homem de letras registrar tais epifanias com extremo cuidado, pois elas representam os mais delicados e fugidios momentos da vida.[173]

172. Sá, ibidem, p. 168.

173. Ibidem, p. 171.

A definição evolui, segundo Olga de Sá, de experiência intelectual e emotiva, modo de olhar a vida, no Stephen Hero, para se transformar, no *Retrato do artista enquanto jovem*, em processo de criar um universo por meio da palavra poética. É, pois, concepção de mundo que se converte em momento operativo da arte, em recurso estético. Por isso, no *Retrato* o termo desaparece.[174]

Olga de Sá também faz um relato de como a crítica apreende o conceito de epifania em Clarice,[175] evidenciando que o primeiro crítico a aproximar Clarice de Joyce no que respeita ao uso de processos epifânicos foi Álvaro Lins (1944), ao detectar na obra de ambos a "apresentação da realidade com um caráter de sonho"; Sergio Milliet (1955) reconhece no estilo de *Alguns contos* de Clarice "a revelação informe de uma coisa essencial que de repente se fixa"; Schwarz ao falar de *Perto do coração selvagem* apreende, na autora, o anseio de escrever um livro estrelado, o que já mostra, diz Olga, "os efeitos de luz e brilho, os instantes de iluminação tão próprios do processo epifânico"; Luís Costa Lima aponta "a aguda percepção de detalhe que tem como condição o desmantelo da lógica prosaica e a construção de uma prosa mais a fim do poético"; em Benedito Nunes, "o descortinoso silêncio"; em Massaud Moisés, "o instante existencial"; e em João Gaspar Simões, "uma espécie de fogo fátuo".

Em *A hora da estrela*, o momento que antecede à morte de Macabéa apresenta vários componentes de um processo epifânico. A revelação é realizada menos com a aparência de fogo fátuo e mais como um descortinoso silêncio. Traçando o mesmo movimento de câmara lenta, com mesma sensação de torpor, quase imobilidade, que marca a vida de Macabéa; com o mesmo caráter fragmentário com que sua linguagem revela o novo modo de narrar, verificados ao longo da obra, e com o uso do mesmo jogo antitético que sugere a contradição espreitando a cada passo do narrado, Clarice constrói a epifania final, descortinando, aos poucos, aos olhos do leitor, o instante existencial, aquele único que confere à personagem existência. Porque existência é consciência de si, de seu papel no mundo, das misé-

174. Ibidem, p. 175.

175. Ibidem, p. 163-166.

rias e grandezas do homem e do mundo. A construção epifânica se inicia com a saída de Macabéa da cartomante:

> Saiu da cartomante aos tropeços e parou no beco-escurecido pelo crepúsculo – crepúsculo que é hora de ninguém. Mas ela de olhos ofuscados como se o último final da tarde fosse mancha de sangue e ouro quase negro. Tanta riqueza de atmosfera a recebeu e o primeiro esgar da noite que, sim, sim, era funda e faustosa. Macabéa ficou um pouco aturdida sem saber se atravessaria a rua pois sua vida já estava mudada. Uma pessoa grávida de futuro.[176]

É pelo sensório que a revelação primeiro se dá. O excesso de sensações causadas pela predição de Carlota confunde Macabéa. Corrobora o pôr-do-sol, que tinge de ouro e sangue o beco escuro, conferindo à feiúra do ambiente uma atmosfera de sonho, profunda, rica e faustosa, lembrando que Álvaro Lins assinala a construção dessa atmosfera como um dos aspectos da epifania. Assim, Macabéa fica em dúvida sobre o que fazer. Atravessar a rua, ou não? Na verdade, a indecisão do rumo novo a tomar na vida a faz titubear. Distraída pelo destino mágico que lhe espera, dá o passo fatal. Esse titubeio, que lhe custa a perda do futuro, advém da novidade da sua vida já mudada. "E mudada por palavras – desde Moisés se sabe que a palavra é divina. Até para atravessar a rua ela já era outra pessoa".[177]

Mais uma vez, a recorrência à simbologia bíblica, para lembrar que a palavra tem poder de construir fantasias e também de mudar vidas. Orientados pela palavra divina, os hebreus atravessam o Mar Vermelho em busca da terra prometida. Orientada por Carlota, Macabéa intenta a travessia rumo ao futuro prometido. Travessia, porém, requer decisão. Indecisa entre passado e futuro, irá colher a morte. Clarice não abandona a antítese; pelo contrário, por meio delas exprime o conjunto das sensações contraditórias que, assolando a mente da personagem, acaba por deixá-la indecisa. Macabéa oscila entre esperança e desespero, perda e ganho, morte e vida.

176. Lispector, op. cit., p. 98.

177. Ibidem, p. 98.

> Sentia em si uma esperança tão violenta como jamais senti-
> ra tamanho desespero. Se ela não era mais a mesma, isso sig-
> nificava uma perda que valia por um ganho. Assim como
> havia sentença de morte, a cartomante lhe decretara senten-
> ça de vida.[178]

De repente, com tantas possibilidades diante de si, a visão de mundo da personagem se amplia: "Tudo de repente era muito e muito e tão amplo que ela sentiu vontade de chorar". Esse conflito interno e a percepção de que ela podia ter mais do que sempre teve, que o mundo era mais vasto do que ima-ginara para si, é o primeiro lampejo de consciência que Macabéa tem de si mesma, do que poderia ser o mundo e do que ele não fora, até então.

Macabéa decide pela travessia. Esperando tornar real a mudança já operada em sua mente, dá o passo fatal e seu Destino, que chega com o impacto de um transatlântico, começa a se cumprir.

> Então ao dar o passo de descida da calçada para atravessar
> a rua, o Destino (explosão) sussurrou veloz e guloso: é agora,
> é já, chegou a minha vez!
> E enorme como um transatlântico o Mercedes amarelo pe-
> gou-a – e neste mesmo instante em algum lugar do mundo
> um cavalo como resposta empinou-se em gargalhada de
> relincho.[179]

Seria aquele Mercedes o cavalo branco no qual seu cavalei-ro viria para transformá-la em princesa, tirando-a da condi-ção de gata borralheira? Mais uma vez o intertexto, agora com o imaginário medieval, de cujos recônditos a autora con-fere a Macabéa um último instante de sonho, antes de iniciá-la no seu calvário rumo à consciência. Calvário rápido, reve-lador, mistério doloroso, epifania pontilhada em *flashs* de luz:

> Batera com a cabeça na quina da calçada e ficara caída, a cara
> mansamente voltada para a sarjeta. E da cabeça um fio de

178. Ibidem, p. 98.

179. Ibidem, p. 98.

> sangue inesperadamente vermelho e rico. [...] Ficou inerme no canto da rua [...] e viu entre as pedras do esgoto e o ralo capim de um verde da mais tenra esperança humana. Hoje, pensou ela, hoje é o primeiro dia de minha vida: nasci.[180]

Poder-se-ia dizer que a morte fora interrompida ou suspensa por um fio, para que Rodrigo pudesse exibir, no estertor final, a trajetória da consciência finalmente adquirida. No surdo terremoto que a envolve, Macabéa presta atenção em si mesma, pensa na sua trajetória de Alagoas para o Rio de Janeiro, dimensiona sua vida de "capim à-toa" na cidade inconquistável, na vida inconquistável e percebe, finalmente, o ser e o não ser. Clarice nos dá, pela simbologia do sangue vermelho e rico, que é vida, a dimensão da miséria humana e também da sua grandeza: Macabéa luta, finalmente, tornada, só agora, digna dos macabeus, a raça lutadora de quem herdou o nome. E porque ela luta, Rodrigo reluta em dar cabo de sua vida.

Um último *flash*: "Enquanto isso, Macabéa no chão parecia se tornar cada vez mais uma Macabéa, como se chegasse a si mesma".[181] A repetição do nome é intencional. Clarice chama a atenção do leitor para o que confere identidade à personagem. Macabéa chega a si mesma. Por mais dolorosa que seja essa revelação final, é por ela que adquire identidade, que se torna, então, humana, no sentido mais profundo, de saber-se a si mesma, de compreender a sua essência social, do "ser nada" em que a sociedade transforma o "não ter nada". Por isso é epifania. A revelação salvou a personagem, porque Rodrigo não poderia deixá-la viver, afinal, com essa dolorosa consciência de si, no limbo social em que vivia. A inocência e a ingenuidade que a levavam, ainda que desconfortavelmente, a tocar a vida, foram sorvidas pela consciência do seu "eu". Só a morte então seria libertação. A propósito dessa inconsciência de si já alertava Rodrigo com bastante antecedência:

180. Lispector, ibidem, p. 98-99.

181. Ibidem, p. 101

182. Ibidem, p. 29-30.

> Quero antes afiançar que esta moça não se conhece senão através de ir vivendo à toa. Se tivesse a tolice de perguntar "quem sou eu?" cairia estatelada e em cheio no chão.[182]

Estatelada no chão, a morte rondando, Macabéa encontra finalmente resposta para a pergunta que evitara ao longo do seu percurso. Clarice começa a afunilar o olhar do leitor, já quase acostumado com a miséria da personagem para as dificuldades que significam as escolhas de caminhos, quando a consciência aflora. A epifania tem essa tarefa de "matizar os acontecimentos cotidianos e transfigurá-los em efetiva descoberta do real".[183] E o real, sendo contraditório, tem múltiplas faces e sugere muitos caminhos. A decisão sobre os caminhos a percorrer só é possível quando se tem consciência de si e do mundo. Esse é o viés da ideologia na obra, implícita na súbita e fugaz humanização da personagem que, finalmente, adquire consciência. A humanização se dá pela construção de uma consciência que, afinal, Rodrigo lhe confere, ainda que no estertor da morte. A "revelação informe de uma coisa essencial que de repente se fixa" é dada a Macabéa.

A epifania, como revelação da consciência, ocorre com a própria personagem para, por efeito simultâneo, revelar-se ao leitor. Clarice vai construindo o momento máximo, poder-se-ia dizer o clímax narrativo, e criando a atmosfera necessária para que o leitor, por fim, veja resgatado, na obra, o Homem em toda a sua inteireza; por esse meio recupera-se, ainda que por um instante, a natureza humana da personagem. Assim, o narrador resolve todo o drama em que ela se debateu, ao longo de sua vidinha apagada. Ao atribuir, finalmente, uma consciência a Macabéa, Rodrigo lhe permite atingir um estágio de humanização – o seu momento de estrela – que faz dela, ainda que por um momento, mais que "uma vida primária que respira, respira, respira". A morte de um transeunte é sempre objeto da curiosidade pública. Junta-se o povo ao redor de Macabéa que, finalmente, nesse instante, passa a existir, é reconhecida e desperta algum sentimento nas pessoas, moça inócua, como Rodrigo a houvera definido, "a quem ninguém olha e não faz falta a ninguém".

Em síntese, a epifania é mais do que um processo de desvelamento de um fenômeno, na concepção tomista, na qual a qüididade da personagem, sua essência, apenas "de súbito, se

183. Sá, op. cit., p. 166.

desprende diante de nós, do revestimento da aparência", conforme Joyce para a explicação de como o objeto realiza sua epifania.[184] Por meio deste procedimento estético revela-se o jogo ideológico que expõe a contradição entre o humano e o desumano, a consciência e não-consciência de um papel, de uma finalidade de existência no mundo. Por meio da epifania, Rodrigo confere humanidade a essa "vida primária".

Por quem os sinos dobram

A morte é recurso amplamente utilizado na literatura do século XIX, especialmente pelos autores do realismo clássico, no decurso ou no epílogo de grandes obras, e pareceria não estar adequada a uma literatura que, tão marcadamente, contrapôs-se ao realismo em muitos de seus aspectos, como *A hora da estrela*. No entanto, o *gran finale* é justamente a morte de Macabéa. Considerando-se o caráter de síntese da obra, poder-se-ia ver essa morte como simbologia do "golpe de morte" sofrido pelo realismo clássico; por outro lado, como um rasgo de realismo, tal como esse aportou em terras brasileiras, pelas mãos de um Machado de Assis e de um Graciliano Ramos, dois autores cuja obra foge ao padrão da literatura sem fissuras no cenário do naturalismo obediente que se desenvolveu no Brasil, conforme Flora Sussekind.[184]

Tanto um como outro autor tomaram a morte como expressão da desrealização humana no enfrentamento com forças sociais desfavoráveis, curiosamente, a morte feminina. Veja-se em *Esaú e Jacó*, de Machado, a morte de Flora, e em *São Bernardo*, de Graciliano Ramos, a de Madalena.

No primeiro caso, a personagem Flora, dividida entre o amor de Paulo e Pedro, contrai uma súbita e fatal doença que a leva à morte. A obra gira em torno do jogo de interesses materiais que assinala a passagem do Brasil império para o Brasil república. Os gêmeos Pedro e Paulo simbolizam as forças antagônicas entre o velho mundo feudal, representado pelos monarquistas, e a modernidade, representada pelos republicanos. Ao se examinar de perto a trajetória da narra-

184. Süssekind, op. cit.

tiva torna-se bem evidente a impossibilidade de espaço para uma personagem como Flora, que não consegue se decidir entre Pedro e Paulo, estando sempre a refazê-los, mentalmente, em suas fantasias, tentando reunir em um só as virtudes de ambos. Flora representa o esforço logrado de conciliar dois modos de produção social, simbolizados pelos irmãos, que a história já houvera se incumbido de separar. A ingênua e frágil menina, que em seu nome leva a pujança das espécies vegetais brasileiras, sugere o dilaceramento do homem que sucumbe diante das impossibilidades de um e de outro modo social de viver.

No segundo caso, o de Graciliano Ramos em *São Bernardo*, Madalena, professora casada com Paulo Honório, acaba cometendo suicídio por não conseguir, sob o jugo do marido, desenvolver seu projeto de vida pessoal, sucumbindo ao seu ciúme e desconfiança. Posseiro que conseguiu a propriedade da terra por meios escusos, trocando favores políticos, jogando e matando, com esses recursos, fez a prosperidade de São Bernardo, sua fazenda. Pela forma como foi construído pelo autor, Paulo Honório simboliza a força ao mesmo tempo modernizadora e devastadora do capitalismo. Na análise de Lafetá, "o dínamo que gera energia e arrebata tudo provocando uma completa e incessante modificação nas relações globais daquele mundo".[185] Paulo Honório é representativo da grande contradição do capitalismo: modernizar, destruindo, submetendo. Madalena morre porque não se submete. A morte de Madalena, aparentemente escolhida, simboliza a impotência diante das regras de um jogo social que impõe a desumanização para a sobrevivência daqueles que participam dele. A respeito desse desfecho, diz Lafetá, "é a vitória da reificação que destrói o humano".[186]

A morte se faz presente nas duas obras analisadas. Há semelhança no modo como os dois autores a conduzem. Parece algo incômodo, que deve acontecer para que a vida retome seu curso. Como uma perda necessária. Com certa fugacidade que confere a certeza de que uma e outra são mortes desimportantes no jogo narrativo. Como a morte de

185. J. L. Lafetá, O mundo à revelia – posfácio. In G. Ramos, *São Bernardo*. 39. ed. Rio de Janeiro, Record, 1983, p. 202.

186. Ibidem, p. 206.

Macabéa, que desperta em Rodrigo um sentimento incômodo, mas que deve acontecer para que a vida retome seu curso, uma perda necessária. Essa desimportância, no plano estético, poderia ser remetida à própria insignificância da personagem, no sentido de Macabéa ocupar um lugar menor no espaço social. Rodrigo a fez pobre, feia, sem identidade, fraca e lenta. Ela é a expressão de tudo que não tem força para sobreviver. Ele a conduz obra afora, de fracasso em fracasso. Natural que morresse, para dar coerência à narrativa.

Do ponto de vista ideológico, a morte adquire nova dimensão, no sentido de que a personagem é paradigmática da deterioração do homem em um mundo em fragmento. Não há remédio senão a morte, simbólica em Macabéa, desse universo dilacerado em que se debatem tantas outras Macabéas. A síntese final é a negação da própria sociedade que desumaniza. Por isso, a desconstrução narrativa conduz para a morte. A personagem adquire vulto, ocupando todo o espaço narrativo para, ao cabo, morrer, fazendo da morte seu único momento de glória, seu pouco triunfo, seu brilho efêmero, sua hora de estrela.

Como não matar Macabéa? Rodrigo bem que tenta. Inúmeras são as passagens em que expressa dúvida a respeito da morte da personagem. Sucede, como bem lembrou Heminghway, que quando os sinos dobram, eles dobram por todos nós. Quando a sociedade não dá conta de suprir a vida do ser humano, a morte de cada homem diz respeito a todos nós. E Clarice simboliza por meio de Macabéa esse ato solidário quando afirma, pela voz de Rodrigo, ao dar cabo da personagem: "Ela me matou".

Russotto refere-se a Macabéa como

> un objeto superconnotado literariamente, desgastado y anacrónico, "sin esperanzas", cuya miseria total (ella es hambrienta, ignorante, estéril, y por tanto construida a partir de la negación de atributos), no resiste ni a la realidad ni a la ficción.[187]

187. M. Russotto, La narradora: imágines de la transgression en Clarice Lispector. *Remate de Males*, n. 9, 1989, p. 90.

Por isso, necessariamente, Macabéa morre. Do ponto de vista do projeto estético, a frágil Macabéa não resiste à ficção, simbolizando com sua fragilidade a falência da narrativa romanesca. Do ponto de vista ideológico, indicia a falência do humano na sociedade excludente.

Dialogando com o universo romano, ao matar Macabéa, Rodrigo rememora a traição de Brutus a Júlio César, que o houvera criado e a quem ele mata apunhalado pelas costas, como reza a história: "Até tu, Brutus?!". Ironicamente, inverte a relação. Não se trata do filho matando o pai por razões políticas. Antes, é o criador dando cabo da criatura pelas impossibilidades da própria narrativa e da própria sociedade.

A tarefa de matar a personagem causa profunda comoção no narrador. O desfecho da obra é construído pelo súbito remorso de Rodrigo, que se anuncia não vendável. Esse anunciar como autor não vendável é uma das chaves por onde se apreende a consciência social de Clarice e a decisão de, a qualquer preço, denunciar pela palavra a desrealização do homem na sociedade. É a escritora lúcida, impondo a si mesma, por meio de Rodrigo, não compactuar com o silêncio, dando voz a Macabéa, com sua morte estelar, situação em que, finalmente, os olhos do mundo voltam-se para ela, ainda que movidos pela curiosidade pública diante de um atropelamento. Macabéa finalmente brilha, estrela de mil pontas. Estendida ao solo como "um grande cavalo" tem, finalmente, seu público. As pessoas que "brotaram no beco, não se sabe de onde", aglomeram-se ao redor do seu corpo, dando-lhe, finalmente, existência.

Rodrigo, todavia, experimenta culpa e, como Pilatos, tenta tirar de seus ombros a responsabilidade da difícil tarefa de dar cabo à vida de Macabéa: "Quero que me lavem as mãos e os pés e depois – depois que os untem com óleos santos de tanto perfume".[188] Tenta, ainda, consolar-se, pensando na morte como vitória: "Vencera o Príncipe das Trevas. Enfim a coroação".[189] E tenta se reanimar, como se, ao cabo de tão difícil tarefa, a vida devesse retomar seu curso: "Pronto, passou". Segue-se o silêncio e a reflexão sobre o significado do tempo, da vida e de Macabéa: "Morrendo ela virou ar. Ar energético? [...] morreu em um instante. O instante é aquele átimo de tempo... [...] No fundo, ela não passara de uma caixinha de música meio desafinada".[190]

188. Lispector, op. cit., p. 104.

189. Ibidem, p. 104.

190. Ibidem, p. 105-106.

Finalmente, a obra se desvencilha do ideário realista do desfecho trágico, ao propor a vida como palavra final. Além de a morte ter sido trabalhada como simbolismo do que é ultrapassado e que, por isso, precisa desaparecer, Clarice, magistralmente, utiliza dois últimos recursos com os quais devolve a esperança ao coração do leitor: o morango vermelho, que simboliza a vida em plenitude, e a substituição do fonema *f* pelo fonema *s*, no signo que por suposto indicaria o fim da narrativa. Fecha com esse estratagema o ciclo narrativo que iniciara com um "sim", sugerindo com o vermelho do morango que a grande aventura é a vida. *A hora da estrela*, assim, não pode ser vista como uma obra que apenas expõe as mazelas do ser na sociedade, mas que mostra como os caminhos tortuosos da linguagem conduzem à vida: "Não esquecer que por enquanto é tempo de morangos. Sim".[191]

191. Lispector, ibidem, p. 106.

ALTERANDO OS HORIZONTES

Singrar as águas revoltas desse formidável oceano estético que representa *A hora da estrela* serviu para avaliar com mais acuidade o talento de Clarice Lispector e confirmar sua grandeza. A sensação é de que há muito, ainda, por ser feito, a fim de se aprofundar estudos sobre a vasta produção da autora, com trabalhos que incidam em cada uma das suas obras, em particular. Na coleta das fontes ficou evidente que as pesquisas têm privilegiado, até agora, o conjunto da obra, com raras exceções.

A crítica, como já se demonstrou, aponta a proximidade da produção de Clarice com a de James Joyce e de Virginia Woolf, o caráter desconstrutivo da narrativa, a técnica de fluxos de consciência, a epifania e, com menos recorrência, a natureza poética da linguagem de Clarice.

A respeito da recepção de *A hora da estrela*, a julgar pela crítica com quem se dialogou, percebeu-se que a obra é de difícil avaliação, por sua riqueza e complexidade, o que provocou uma espécie de circularidade da crítica, fechando as análises em torno dos mesmos pontos, de forma recorrente. Ressentiu-se de uma crítica mais específica e incisiva a respeito do caráter metafórico da linguagem, dos textos com os quais a obra dialoga, incessantemente, e dos elementos musicais e religiosos que permeiam a narrativa.

Quanto a este trabalho, acredita-se que os objetivos foram alcançados. Os resultados da investigação mostraram que, em relação ao projeto estético, a obra opera a síntese de duas grandes tendências da literatura, a narrativa linear que vem do século XIX e a literatura de fragmentos, com que desnuda o dilaceramento da primeira, por um processo de autofagia da própria narrativa. Daí, a complexidade da obra e a constatação de Benedito Nunes de que "esse livro meândrico e tumultuoso" resiste à vinculação a qualquer gênero literário.

Por outro lado, o Homem, cerne do projeto ideológico, está colocado como figura central da obra, especialmente por meio de Macabéa, construída no texto em situação social de profundo isolamento e solidão, o que caracteriza a negação do humano, na personagem, marcada pela parca linguagem e consciência de si e do mundo.

A experiência de viver com Clarice foi profundamente rica e humanizadora e instiga a continuidade. Se, na necessidade de fechar este estudo específico, a investigação encontrou seus limites, o propósito de continuar nas sendas da literatura de Clarice instalou-se definitivamente em nós, não só pela competência com que ela domina e maneja os elementos literários, mas pelo que traz a sua escritura de sentimento de humanidade e responsabilidade social.

A respeito da leitura de *A hora da estrela* uma coisa é certa: ninguém que a leia sairá isento. As armas de combate, o modo de combater e o alvo serão aqueles que o leitor escolher ao final da leitura. Clarice combate com sua arma preferida, a palavra. Afinal, é ela mesma que afirma, como já mencionado ao longo deste trabalho, que escreve "por motivo de força maior". O seu modo de combater é a ficção, neste caso, *A hora da estrela*. O alvo, ainda que a obra possa não conter o componente teleológico da intencionalidade, é a reconstrução dos horizontes da consciência do leitor, por meio da construção da consciência de Macabéa e da morte simbólica de um mundo dilacerado, pela morte de sua personagem ilustrativa desse modo de ser da sociedade.

REFERÊNCIAS BIBLIOGRÁFICAS

ABRÃO, Bernadette S.; COSCODAI, Mirtes U. (orgs.) *Dicionário de mitologia grega*. São Paulo: Nova Cultural, 2000.

AGOSTINHO. *Confissões*. Tradução de J. Oliveira Santos; A. Ambrósio de Pina. São Paulo: Nova Cultural, 1996.

ARISTÓTELES. *Arte retórica e arte poética*. Tradução de Antonio Pinto de Carvalho. Rio de Janeiro: Tecnoprint, s.d.

ARRIGUCCI JR., Davi. Jornal, realismo, alegoria: o romance brasileiro recente. In *Achados e perdidos*: ensaios de crítica. São Paulo: Pólis, 1979.

ASSIS, Machado. *Esaú e Jacó*. Obras selecionadas. São Paulo: Egéria, 1978. v. 4.

_____. *Contos*: texto integral. 7. ed. São Paulo: Ática, 1979.

BAKHTIN, Mikhail. *Marxismo e filosofia da linguagem*. Tradução de Michel Lahud e Yara Frateschi Vieira. 3. ed. São Paulo: Hucitec, 1986.

_____. *Questões de literatura e de estética*: a teoria do romance. Tradução de Aurora Fornoni Bernadini et al. 3. ed. São Paulo: UNESP, 1993.

BARBOSA, João Alexandre. A literatura e a sociedade. *Revista USP*, São Paulo, n. 37, mar.-mai. 1998.

_____. Pensando nos trópicos. In *Dispersa demanda II*. Rio de Janeiro: Rocco, 1991.

_____. A modernidade do romance. In *O livro do seminário*. São Paulo: LR Editores, 1982.

BARTHES, Roland. O efeito do real. In _____ et al. *Literatura e realidade* (que é o realismo?). Lisboa: Publicações Dom Quixote, 1984.

_____. *Aula*. Tradução de Leyla Perrone-Moisés. 6. ed. São Paulo: Cultrix, 1997.

BERMAN, Marshall. *Tudo que é sólido desmancha no ar*: a aventura da modernidade. Tradução de Carlos Felipe Moisés e Ana Maria L. Ioriatti. São Paulo: Cia. das Letras, 1986.

BILENKY, Marlene. Macabéa e seu criador no mundo das maravilhas. *Polímica, Revista Semestral de Crítica e Criação*, n. 1, nov. 1979.

BOSI, Alfredo. *História concisa da literatura brasileira*. 3. ed. São Paulo: Cultrix, 1985.

BRADBURY, Malcom; MCFARLAN, James. *Modernismo* – guia geral. Tradução de Denise Bottman. São Paulo: Cia. das Letras, 1989.

BURKE, Edmund. Appeal from the New to the Old Whigs. In EAGLETON, Terry. *A ideologia da estética*. Tradução de Mauro Sá Rego Costa. Rio de Janeiro: Jorge Zahr, 1993.

CANDIDO, Antonio. *Vários escritos*. 2. ed. São Paulo: Livraria Duas Cidades, 1977.

_____. *A educação pela noite e outros ensaios*. 3. ed. São Paulo: Ática, 2000.

_____. A personagem do romance. In _____ et al. *A personagem de ficção*. 9. ed. São Paulo: Perspectiva, 1995.

_____. *Literatura e sociedade*. São Paulo: Nacional, 1985.

CÍCERO, Marco Túlio. *Sobre o destino*. Tradução e notas de José Rodrigues Seabra Filho. São Paulo: Nova Alexandria, 2001.

COMÊNIO, João Amós. *Didática magna*: tratado da arte universal de ensinar tudo a todos. Introdução, tradução e notas de Joaquim Ferreira Gomes. 3. ed. Lisboa: Gulbenkian, 1957.

CUNHA, João Manuel dos Santos. *A hora da estrela – do livro ao filme*: a intersecção de duas narrativas. Dissertação (Mestrado). UFRGS, Porto Alegre, 1991.

DIAS, Ângela Maria. *A hora da estrela*: a escrita do corpo cariado. *Tempo Brasileiro*, n. 82, 1985, p. 102-114.

EAGLETON, Terry. *A ideologia da estética*. Tradução de Mauro Sá Rego Costa. Rio de Janeiro: Jorge Zahr, 1993.

_____. *Ideologia*. Tradução de Luis Carlos Borges e Silvana Vieira. São Paulo: UNESP/Boitempo, 1997.

_____. *A função da crítica*. Tradução de Jefferson Luiz Camargo. São Paulo: Martins Fontes, 1991.

EIKHENBAUM, B. Sobre a teoria da prosa. In _____ et al. *Teoria da literatura* – formalistas russos. Tradução de Ana Maria Ribeiro et al. Porto Alegre: Globo, 1971.

EULÁLIO, Alexandre. No Rio, com Clarice Lispector. Entrevista extraída do Boletim Bibliográfico LBL, Lisboa: Edição Livros do Brasil, n. 4, jul./ago. 1961. *Remate de Males*, n. 9, 1989.

FEHÉR, Ference. *O romance está morrendo?* Tradução de Eduardo Lima. Rio de Janeiro: Paz e Terra, 1997.

FORSTER, Edward M. *Aspectos do romance*. Tradução de Maria Helena Martins. 2. ed. São Paulo: Globo, 1998.

FRANCO JUNIOR, Arnaldo. *Mau gosto e* kitsch *nas obras de Clarice Lispector e Dalton Trevisan*. São Paulo, 1999. Dissertação (Doutorado em Literatura Brasileira). Universidade de São Paulo, São Paulo, 1999.

FUKELMAN, Clarice. Escrever estrelas (ora, direis). In LISPECTOR, C. *A hora da estrela*. 23. ed. Rio de Janeiro: Francisco Alves, 1995.

GOMES, Maria dos Prazeres. Ensaio para ler Camões. Miscelânea. *Revista da Faculdade de Ciências e Letras de Assis*, São Paulo: Universidade Estadual Paulista, 1998.

GOTLIB, Nádia Battela. Macabéa e as mil pontas de uma estrela. In MOTA, Lourenço Dantas; ABDALA JR, Benjamin (orgs.). *Personae*. São Paulo: Senac, 2001. p. 285-317.

_____. *Clarice*: uma vida que se conta. 3. ed. São Paulo: Ática, 1995.

GRAMSCI, Antonio. *Maquiavel, a política e o estado moderno*. Tradução de Luiz Mário Gazzaneo. 7. ed. Rio de Janeiro: Civilização Brasileira, 1989a.

_____. *Os intelectuais e a organização da cultura*. Tradução de Carlos Nelson Coutinho. 5. ed. Rio de Janeiro: Civilização Brasileira, 1989b.

_____. *Concepção dialética de história*. Tradução de Carlos Nelson Coutinho. 8. ed. Rio de Janeiro: Civilização Brasileira, 1985.

GUIDIN, Márcia Lígia. *A estrela e o abismo*: um estudo sobre feminino e morte em Clarice Lispector. Dissertação (Mestrado em Literatura Brasileira). Universidade de São Paulo, São Paulo, 1989.

HEIDEGGER, Martin. A sentença de Anaximandro. Tradução de Ernildo Stein. In SOUZA, José Cavalcante de (org.). *Os pré-socráticos*. São Paulo: Abril, 1973. (Coleção Os Pensadores)

HOLLANDA, Heloísa Buarque; GONÇALVES, Marcos Augusto. Política e literatura: a ficção da realidade brasileira. In NOVAES, A. *Anos 70*: literatura. Rio de Janeiro: Europa, 1979-1980.

JAMES, Henry. *A arte da ficção*. Tradução de Daniel Piza. São Paulo: Imaginário, 1995.

JOYCE, James. *Retrato do artista quando jovem*. Tradução de José Geraldo Vieira. 3. ed. Rio de Janeiro: Civilização Brasileira, 1987.

_____. *Ulisses*. Tradução de Antônio Houaiss. 8. ed. Rio de Janeiro: Civilização Brasileira, 1993.

KADOTA, Neiva Pitta. *A tessitura dissimulada*: o social em Clarice Lispector. São Paulo: Estação Liberdade, 1997.

KAHN, Daniela Mercedes. *A via crucis do outro*: aspectos da identidade e da alteridade na obra de Clarice Lispector. Dissertação (Mestrado em Teoria Literária e Literatura Comparada). Universidade de São Paulo, São Paulo, 2000.

LAFETÁ, João Luiz et al. Ficção em debate e outros temas. *Remate de Males*, n. 1, São Paulo: Duas Cidades, 1979.

_____. *1930: a crítica e o modernismo*. São Paulo: Duas Cidades/34, 2000.

_____. O mundo à revelia – posfácio. In RAMOS, Graciliano. *São Bernardo*. 39. ed. Rio de Janeiro: Record, 1983.

LANZA, Sonia Maria. *A hora da estrela*: fragmentos de um texto plural. Dissertação (Mestrado). PUC/SP, São Paulo,1996.

LIMA, L. C. *Dispersa demanda*: ensaios sobre literatura e teoria. Rio de Janeiro: Francisco Alves, 1991.

LISPECTOR, C. *A hora da estrela*. 23. ed. Rio de Janeiro: Francisco Alves, 1995.

LOCKE, John. Da Propriedade. In *Segundo tratado sobre o governo*. São Paulo: Abril Cultural, 1973, p. 51-53. (Col. Os Pensadores)

LOPES, Edward. Discurso literário e dialogismo em Bakhtin. In FIORIN, J. L.; BARROS, D. L. P. de (orgs.). *Dialogismo, polifonia, intertextualidade*. São Paulo: EDUSP, 1999.

LUKÁCS, George. *A teoria do romance*: um ensaio histórico-filosófico sobre as formas da grande épica. Tradução de José Marques Mariani de Macedo. São Paulo: Duas Cidades/34, 2000.

_____. *Introdução a uma estética marxista*: sobre a categoria da particularidade. Tradução de Carlos Nelson Coutinho e Leandro Konder. 2. ed. Rio de Janeiro: Civilização Brasileira, 1978. (Coleção Perspectivas do Homem, v. 33 – Série Estética)

MANN, Thomas. *Ensaios*. Seleção de Anatol Rosenfeld. São Paulo: Perspectiva, 1987.

MARSHALL, Berman. *Tudo que é sólido desmancha no ar*: a aventura da modernidade. Tradução de Felipe Moisés e Ana M. Ioriatti. São Paulo: Cia. das Letras, 1986.

MARTINS, Fernanda. *Da estilização do olhar-perscrutar*: uma leitura de *A hora da estrela* de Clarice Lispector e da sua tradução fílmica por Suzana Amaral. Dissertação (Mestrado). UFP, Recife, 1991.

MARX, Karl. Manuscritos econômicos filosoficos de 1844. In *Obras filosoficas escogidas*. Bogotá: Pluma, 1980.

____; ENGELS, F. *A ideologia alemã*. Tradução de José Carlos Bruni e Marco Aurélio Nogueira. 6. ed. São Paulo: Hucitec, 1987.

____. *Sobre literatura e arte* (extratos escolhidos). Tradução de Olinto Bedkerman. São Paulo: Global, 1980.

MELO NETO, João Cabral. *A educação pela pedra e depois*. Rio de Janeiro: Nova Fronteira. 1997.

MERQUIOR, José Guilherme. Doutrina das formas poéticas e dos gêneros. In: LUKÁCS, George. *A teoria do romance*: um ensaio histórico-filosófico sobre as formas da grande épica. Tradução de José Marques Mariani de Macedo. São Paulo: Duas Cidades/34, 2000.

MOISÉS, M. *A criação literária*. Introdução à problemática da literatura. São Paulo: Melhoramentos, 1967.

MOTA, Lourenço Dantas; ABDALA JR, Benjamin (orgs.). *Personae*. São Paulo: Senac, 2001.

NOVAIS, Adauto. Ainda sob a tempestade. Texto introdutório a *Anos 70*: literatura. Rio de Janeiro: Europa, 1979-1980. 7 v.

NUNES, Benedito. *O tempo na narrativa*. 2. ed. São Paulo: Ática, 2000. (Série Fundamentos)

____. *O drama da linguagem*. São Paulo: Ática, 1995.

____. *Escritos da maturidade*: seleta de textos publicados em periódicos (1944-1959). Rio de Janeiro: Graphia, 1994.

____. Clarice Lispector, o naufrágio da introspecção. *Remate de Males*, n. 9, 1989.

____. Reflexões sobre o moderno romance brasileiro. In *O livro do seminário*. Bienal Nestlé de Literatura Brasileira. São Paulo: LR Editores, 1982.

____. Filosofia e literatura: a paixão de Clarice Lispector. *Almanaque*. Cadernos de literatura e ensaio. Suplemento literário da Editora Brasiliense. São Paulo: Brasiliense, 1981.

____. *O dorso do tigre*. 2. ed. São Paulo: Perspectiva, 1976.

____. *Leitura de Clarice Lispector*. São Paulo: Quíron, 1973. (Coleção Escritores de hoje)

OLIVEIRA, Maria Elisa. *O instante-tempo nos romances de Clarice Lispector*. Dissertação (Mestrado). PUC, São Paulo, 1991.

PICCO DELLA MIRANDOLA, Giovanni. *A dignidade do homem.* Tradução de Luiz Feracine. 2. ed. Campo Grande: Uniderp/Só Livros, 1999.

RAMOS, Graciliano. *São Bernardo.* 39. ed. Rio de Janeiro: Record, 1983.

RIBEIRO, Edda Brandi. A retórica ou ação pela linguagem em *A hora da estrela* de Clarice Lispector. 160 p. Dissertação (Mestrado). UnB, Brasília, 1998.

RIBEIRO, Luis Felipe. Literatura e história: uma relação muito suspeita. *Revista Gragoatá.* Niterói, n. 2, 1º sem. 1997.

ROSENBAUM, Yudith. *Metamorfoses do mal:* uma leitura de Clarice Lispector. São Paulo: EDUSP/FAPESP, 1999.

RUSSOTTO, Márgara. La narradora: imágenes de la transgresión en Clarice Lispector. In: *Remate de Males,* n. 9, 1989, p. 85-93.

SÁ, Olga de. *A escritura de Clarice Lispector.* 2. ed. Petrópolis: Vozes, 1979.

SANTIAGO, Silviano. A aula inaugural de Clarice. In MIRANDA, Wander Melo (org.). *Narrativas da modernidade.* Belo Horizonte: Autêntica, 1999.

SCHÜLER, Donaldo. *Teoria do romance.* São Paulo: Ática, 2000.

SCHULTZ, Theodore W. *O valor econômico da educação.* Rio de Janeiro: Zahar, 1967.

SCHWARZ, Roberto. *A sereia e o desconfiado* (ensaios críticos). Rio de Janeiro: Paz e Terra, 1981.

SILVA, Abel. Entrevista concedida a *Anos 70:* literatura. In NOVAES, A. *Anos 70: Literatura.* Rio de Janeiro: Europa, 1979-1980. 7 v.

SMITH, Adam. *Economistas políticos.* Tradução de Alcântara Figueira. São Paulo/Curitiba: Musa/Segesta, 2001.

STALLONI, Yves. *Os gêneros literários.* Tradução e notas de Flávia Nascimento. Rio de Janeiro: Difel, 2001. (Coleção Enfoque Letras)

SÜSSEKIND, Flora. *Tal Brasil, qual romance?* Uma ideologia estética e sua história: o naturalismo. Rio de Janeiro: Achiamé, 1984.

TODOROV, Tzvetan. *Poética da prosa.* Tradução de Maria de Santa Cruz. Lisboa: Edições 70, 1971.

TREVISAN, Zizi. *A reta artística de Clarice Lispector.* São Paulo: Pannartz, 1987.

TROTSKY, Leon. A escola poética formalista e o marxismo. In EIKHENBAUM, B. et al. *Teoria da literatura* – formalistas russos. Tradução de Ana Maria Ribeiro et. al. Porto Alegre: Globo, 1971.

VASCONCELLOS, Eliane (org.). *Inventário do arquivo de Clarice Lispector*. Fundação Casa Rui Barbosa. Centro de Memória e Difusão Cultural. Arquivo-Museu de Literatura Brasileira. Rio de Janeiro, 1993.

VERNANT, Jean-Pierre. *As origens do pensamento grego*. Tradução de Ísis Borges B. da Fonseca. 12. ed. Rio de Janeiro: Difel, 2002.

VIEIRA, Nelson. Uma mulher de espírito. In ZILBERMAN, R. (org.) *Clarice Lispector*: a narração do indizível. Porto Alegre: Artes e Ofícios/EDIPUC, 1998.

_____. A expressão judaica na obra de Clarice Lispector. *Remate de Males*, n. 9, 1989, p. 207-209. (Artigo publicado anteriormente no jornal *Zero Hora*, 17 dez. 1988.)

VIEIRA, Trajano. *Édipo Rei de Sófocles*. São Paulo: Perspectiva/ FAPESP, 2001.

VIRGULINO, M. C. Ferraz. *O ar dos desejos* (A hora da estrela, *de Clarice Lispector, e* Las babas del diablo, *de Julio Cortazar*). Dissertação (Mestrado). PUC, Rio de Janeiro, 1982.

WALDMAN, Berta. O estrangeirismo em Clarice Lispector: uma leitura de *A hora da estrela*. In ZILBERMAN, Regina et al. *Clarice Lispector*: a narração do indizível. Porto Alegre: Artes e Ofícios/EDIPUC, 1998. p. 93-104.

_____. *Clarice Lispector*: a paixão segundo C. L. 2. ed. São Paulo: Escuta, 1992.

_____. Armadilha para o real: uma leitura de *A hora da estrela*, de Clarice Lispector. *Remate de Males*, n. 1, São Paulo: Duas Cidades, 1979.

ZILBERMAN, Regina et al. *Clarice Lispector*: a narração do indizível. Porto Alegre: Artes e Ofícios/EDIPUC, 1998.

ZOLA, Emile. *Do romance*: Stendhal, Flaubert e Goncourt. Tradução de Plínio Augusto Coelho. São Paulo: EDUSP, 1995. (Coleção Críticas Poéticas)

O humanismo em Clarice Lispector foi composto com as tipografias Sabon e Helvética no estúdio Entrelinha Design e impresso no papel couché 75g, na gráfica Assahy, em dezembro de 2006.